“十二五”国家重点图书出版规划项目

数学文化小丛书

李大潜　主编

漫步数学之美

Manbu Shuxue zhi Mei

张士军

高等教育出版社·北京

图书在版编目(CIP)数据

漫步数学之美/张士军编. —北京：高等教育出版社，2014.3
(2023.4重印)
(数学文化小丛书/李大潜主编.第3辑)
ISBN 978-7-04-039230-2

Ⅰ.①漫… Ⅱ.①张… Ⅲ.①数学-美学-普及读物
Ⅳ.①O1-05

中国版本图书馆CIP数据核字(2013)第318647号

项目策划 李艳馥 李 蕊

策划编辑 李 蕊 责任编辑 田 玲 封面设计 张 楠
版式设计 王艳红 插图绘制 尹文军 责任校对 胡美萍
责任印制 存 怡

出版发行 高等教育出版社
社　　址 北京市西城区德外大街4号
邮政编码 100120
印　　刷 中煤(北京)印务有限公司
开　　本 787×960 1/32
印　　张 3.375
字　　数 60 000
购书热线 010-58581118
咨询电话 400-810-0598
网　　址 http://www.hep.edu.cn
http://www.hep.com.cn
网上订购 http://www.landraco.com
http://www.landraco.com.cn
版　　次 2014年3月第1版
印　　次 2023年4月第11次印刷
定　　价 10.00元

物 料 号 39230-00

数学文化小丛书编委会

数学文化小丛书总序

整个数学的发展史是和人类物质文明和精神文明的发展史交融在一起的。数学不仅是一种精确的语言和工具、一门博大精深并应用广泛的科学，而且更是一种先进的文化。它在人类文明的进程中一直起着积极的推动作用，是人类文明的一个重要支柱。

要学好数学，不等于拼命做习题、背公式，而是要着重领会数学的思想方法和精神实质，了解数学在人类文明发展中所起的关键作用，自觉地接受数学文化的熏陶。只有这样，才能从根本上体现素质教育的要求，并为全民族思想文化素质的提高夯实基础。

鉴于目前充分认识到这一点的人还不多，更远未引起各方面足够的重视，很有必要在较大的范围内大力进行宣传、引导工作。本丛书正是在这样的背景下，本着弘扬和普及数学文化的宗旨而编辑出版的。

为了使包括中学生在内的广大读者都能有所收益，本丛书将着力精选那些对人类文明的发展起过重要作用、在深化人类对世界的认识或推动人类对世界的改造方面有某种里程碑意义的主题，由学有专长的学者执笔，抓住主要的线索和本质的内容，由浅入深并简明生动地向读者介绍数学文化的丰富内涵、数学文化史诗中一些重要的篇章以及古今中外一些著名数学家的优秀品质及历史功绩等内容。每个专题篇幅不长，并相对独立，以易于阅读、便于携带且尽可能降低书价为原则，有的专题单独成册，有些专题则联合成册。

希望广大读者能通过阅读这套丛书，走近数学、品味数学和理解数学，充分感受数学文化的魅力和作用，进一步打开视野、启迪心智，在今后的学习与工作中取得更出色的成绩。

李大潜

2005 年 12 月

目　录

看到这个题目, 您也许首先会想到两个问题: 第一, 什么是美? 第二, 数学是美的吗? 关于第一个问题, 看起来似乎很简单, 但要想说清楚, 却不是一件容易的事情. 从古到今, 有许多美学家对什么是美作过大量的论述. 在此, 我们不打算深究和探讨美的具体含义. 好在我们每个人对美都有一个直观的感性的认识, 比如: 愉悦、和谐、完美, 等等. 在生活中我们也随时可以感受到种种美的现象, 比如: “江山如此多娇”, 是对自然风光之美的赞誉; 一幅悦目的图画, 这是绘画的美; 一曲美妙的乐章, 这是音乐的美; 一篇瑰丽的诗文, 这是文学的美, 等等. 对于第二个问题, 难免会有些争议. 无疑, 数学给人的直观印象往往是抽象、晦涩、深奥, 它怎么会与美联系起来呢? 其实, 任何事物都有其独特的美的一面, 只是需要你有一双慧眼去发现它而已. 孔夫子曾经说过: “知之者不如好之者, 好之者不如乐之者.” 诚哉斯言! 假如你培养起了对数学的兴趣, 不仅“知之”, 而且达到了“好之”乃至“乐之”的程度, 那么你就会发现, 数学和其他任何事物一样自有其独特的美. 如若不信, 不妨看看历史上的数学巨擘们是怎样看待数学的:

哪里有数, 哪里就有美

——普罗克洛斯

数学是这个世界之美的原型

——开普勒

数学实质上是艺术的一种

——维纳

数学, 如果公正地看, 包含的不仅是真理, 也是无上的美——一种冷峭而严峻的美, 恰像一尊雕刻一样

——罗素

上述说法, 真可谓是对数学美的知言: 数学美是无处不在的, 它是美的“原型”, 是一种“艺术”, 是一种“无上的美”. 凡此种种, 都不能只被看作是溢美之词, 而是透辟而精警的体察, 痴迷而感性的感喟. 数学无疑是美的, 正是对美的追求, 促进了数学的发展, 也极大地推动了社会的进步. 下面我们就从四个方面谈一谈数学美的问题.

一、数学美的表现

为了使大家对数学美有一个初步的感知, 我们不妨先列举一些数学中美的例子.

(一) 数字中的美

大家知道, 数论是研究数 (特别是自然数) 的规律的一个数学分支. 在整个数学中, 数论分支是可以冠以“美”这一定语的, 就如同一个长满奇花异草的大花园. 对一些特殊数的研究, 吸引着众多的专家和数学爱好者投入大量的精力而乐此不疲. 我们先看几种特殊的自然数.

1. 亲和数

若正整数 M 的全部正因子 (去掉其本身) 之和, 恰为自然数 N, 而 N 的全部正因子 (去掉其本身) 之和恰为自然数 M, 则称 M, N 为一对亲和数. 最简单的一对亲和数是 220 和 284, 把 220 的全部正因子 (不包括 220 本身) 加起来为

$$1+2+4+5+10+11+20+22+44+55+110=284$$

而把 284 的全部正因子 (不包括 284 本身) 加起来为

$$1+2+4+71+142=220$$

想不到枯燥的数字之间也有这种“我中有你, 你中有我”的“亲和”关系. 其实, 早在古希腊毕达哥拉斯时代就知道有这一对亲和数, 只是当时人们认为仅仅只有这一对亲和数, 这种认识一直延续了两千多年. 直到 1636 年费马发现并公布了第二对亲和数 17296 和 18416, 才破除了只有一对亲和数的误判, 也激发起了寻找其他亲和数的热情. 后来, 杰出的阿拉伯数学家本 · 科拉建立了一个有名的亲和数公式: 设 $a=3\cdot 2^n-1, b=3\cdot 2^{n-1}-1$, $c=9\cdot 2^{2n-1}-1$, 其中, n 是大于 1 的正整数. 如果 a,b,c 全是素数, 那么 $2^n\cdot ab$ 与 $2^n\cdot c$ 便是一对亲和数. 例如, 当 $n=2$ 时, $a=11, b=5, c=71$, 它们都是素数, 而 $2^n\cdot ab=220$ 和 $2^n\cdot c=284$ 便是一对亲和数. 大数学家欧拉在 1750 年左右宣布了 60 对亲和数, 使人大吃一惊, 大家也认为对亲和数的研究至此已达到了顶峰. 然而在 1866 年, 一个年仅 16 岁的青年帕格尼尼却令人惊讶地发现了 1184 与 1210 也是一对亲和数, 它们仅比 220 和 284 稍大一些, 想不到数学家将近在身边的第二对亲和数遗漏了. 当电子计算机出现后, 人们终于可以凭借高速度大容量的计算机探索更多的亲和数. 至 2007 年, 人们已经发现近 12000000 对亲和数. 那么, 是否还有新的亲和数存在? 这一问题依然吸引着人们的注意力. 还有一个问题是, 迄今发现的亲和数要么两个都是偶数，要么两个都是奇数，是否存在着一奇一偶的亲和数呢？这个问题是欧拉在 300 多年前提出来的，迄今尚未解决，人们甚至认为这或许是一个像哥德巴赫猜想那样的重量级的困难问题.

2. 完全平方数

一个整数的平方称为完全平方数，简称平方数. 如 1, 4, 9, 16 等都是平方数. 在正整数中除了素数以外，最引人注目的就是平方数. 平方数在正整数中比素数更加稀疏，且具有规律性：不超过正整数 n 的平方数 (不算 0) 的个数是 $\sqrt{n}$ 的整数部分.

在哪些情况下可以出现完全平方数呢？

- 前 n 个奇数的和一定是平方数，例如

$$1=1^2,\ 1+3=2^2,\ 1+3+5=3^2$$

一般地，

$$1+3+5+7+\cdots+(2n-1)=n^2$$

- 前 n 个正整数的和可能是平方数，如

$$1+2+3+\cdots+8=6^2,\ 1+2+3+\cdots+49=35^2$$

- 两个相邻正整数之和有可能是平方数，如

$$4+5=3^2,\ 12+13=5^2,\ 24+25=7^2$$

一般地，当 k 为大于 1 的奇数时，$\dfrac{k^2-1}{2}, \dfrac{k^2+1}{2}$ 为两个相邻的正整数. 又因

$$\frac{k^2-1}{2}+\frac{k^2+1}{2}=k^2$$

故任何一个大于 1 的奇数的平方数都能表示成两个相邻正整数的和.

• 四个相邻正整数的乘积与 1 的和一定是完全平方数, 例如

$$1\cdot 2\cdot 3\cdot 4+1=5^2,\ \ 2\cdot 3\cdot 4\cdot 5+1=11^2$$

3. 完满数

如果一个正整数等于除它自身以外的各个正因子之和, 则称这个数为完满数. 例如: 6=1+2+3, 28=1+2+4+7+14, 6 和 28 都是完满数.

多么美妙! 难怪有人把完满数直接称为“完美数”, 将其视作自然数中的“瑰宝”. 古希腊人非常重视完满数, 认为完满数代表着吉祥, 会给他们带来幸福和美好. 意大利人则把 6 看成是属于爱神维纳斯的数, 以象征美满的婚姻.

那么, 在自然数里, 到底有多少完满数呢? 有人做过统计, 1 到 40000000 只有 5 个完满数, 它们是 6, 28, 496, 8128, 33550336. 从第 4 个完满数 8128 到第 5 个完满数 33550336 的发现经过了一千多年. 第 5 个完满数要比第 4 个完满数大 4100 多倍, 这可能就是历经一千多年才艰难跨出一步的原因.

完满数还有一些鲜为人知的性质, 比如:

• 所有完满数都可以表示为 2 的一些连续整数次幂之和, 如:

$$6 = 2^1 + 2^2$$

$$28 = 2^2 + 2^3 + 2^4$$

$$496 = 2^4 + 2^5 + \cdots + 2^8$$

$$8128 = 2^6 + 2^7 + 2^8 + \cdots + 2^{12}$$

$$33550336 = 2^{12} + 2^{13} + 2^{14} + \cdots + 2^{24}$$

- 除了 6 以外, 其他完满数可表示为连续奇数的三次方之和, 如:

$$28 = 1^3 + 3^3$$

$$496 = 1^3 + 3^3 + 5^3 + 7^3$$

$$8128 = 1^3 + 3^3 + 5^3 + \cdots + 15^3$$

$$33550336 = 1^3 + 3^3 + 5^3 + \cdots + 125^3 + 127^3$$

- 完满数的全部因子的倒数和都等于 2, 如:

$$6 : \frac{1}{1} + \frac{1}{2} + \frac{1}{3} + \frac{1}{6} = 2$$

$$28 : \frac{1}{1} + \frac{1}{2} + \frac{1}{4} + \frac{1}{7} + \frac{1}{14} + \frac{1}{28} = 2$$

$$\cdots\cdots$$

如此奇妙的特性, 难怪完满数如此迷人, 具有魅力, 是极美的数, 真无愧于“完满数”的美称!

4. 梅森数

下面将要提到的梅森数源自于对完满数的研究. 前面我们已经领略了完满数的魅力, 在惊呼完满数是何等诱人时, 人们自然会想到一个根本问题: 怎样去求完满数呢?

古希腊的数学家欧几里得首先给出了一个定理:

若 2^p-1 是素数, 则 $2^{p-1}(2^p-1)$ 是完满数.

不难验证, 当 $p=2,3,5,7$ 时, 2^p-1 是素数, 而此时 $2^{p-1}(2^p-1)$ 恰好就是前 4 个完满数: 6, 28, 496, 8128. 而第 5 个完满数 33550336 相当于 $p=13$ 时的情形.

上述欧几里得定理表明, 形如 2^p-1 的素数与完满数有十分密切的关系.

17 世纪初, 法国神父梅森 (Marin Mersenne, 1588—1648) 对这种素数产生了兴趣, 他依靠自己的钻研和收集到的资料, 在 1644 年出版的著作 *Cogitata Physico-Mathematica* 中提出了一个猜想: 在不超过 257 的 55 个素数中, 有 11 个 p 值使 2^p-1 为素数, 这些 p 值是 2,3,5,7,13,17,19,31,67, 127 和 257, 而 $p<257$ 的其他素数对应的 2^p-1 都是合数. 当时, 人们对梅森的成果持半信半疑的态度, 因为有些 p 值对应的 2^p-1 太大了, 很难确定它们是不是素数. 不过, 梅森在这方面的工作还是赢得了人们的景仰, 后来便把形如 2^p-1 的数称为梅森数, 记作 M_p.

梅森是如何得到上述结论的呢? 无人知晓, 他本人验证了前 7 个梅森数都是素数. 1772 年, 欧拉证明了 $p=31$ 的梅森数为素数. 但是, 在梅森提出的 11 个数中还有 3 个是不是素数却长期无人论证.

一直到梅森去世 250 多年以后的 1903 年, 在纽约召开的一次学术会议上, 美国数学家科尔做了一次十分精彩的“报告”, 他走上讲坛, 一言不发, 只见他迅速写下:

$$2^{67}-1=147573952589676412927$$
$$193707721\times 761838257287$$
$$=147573952589676412927$$

之后, 他只字未吐又回到自己的座位上. 顿时, 全场响起经久不息的掌声. 科尔的“无声的报告”已经成为数学史上的佳话.

可见, 梅森的判断有误, $2^{67}-1$ 并不是素数! 计算机发明以后, 人们逐渐发现他的结论中的其他错误: M_{257} 不是素数, 而 M_{61}, M_{89}, M_{107} 是素数.

到底有多少梅森数是素数呢? 截止到 2013 年 2 月 6 日, 我们已知道 48 个梅森数是素数. 目前知道的最大梅森素数是 $M_{57885161}$, 它有 17425170 位, 是 2013 年 1 月美国中央密苏里大学教授柯蒂斯 · 库珀领导的研究小组发现的.

5. 哥德巴赫猜想

1742 年, 德国数学家哥德巴赫 (Goldbach, 1690—1764) 在和他的好朋友、大数学家欧拉的几次通信中, 提出了关于正整数和素数之间关系的两个猜测, 用现在的确切的语言来说, 就是:

(1) 每一个不小于 6 的偶数都是两个奇素数之和;

(2) 每一个不小于 9 的奇数都是三个奇素数之和.

这就是著名的哥德巴赫猜想.

一般把猜想 (1) 称为"关于偶数的哥德巴赫猜想", 把猜想 (2) 称为"关于奇数的哥德巴赫猜想". 由于 $2n+1=2(n-1)+3$, 所以, 从猜想 (1) 的正确性可以推出猜想 (2) 的正确性. 欧拉虽然没有能够证明这两个猜想, 但是对于其正确性是深信不疑的. 1742 年 6 月 30 日, 在给哥德巴赫的一封信中, 欧拉写道: "我认为, 这是一个肯定的定理, 尽管我还不能证明出来."

为了能直观地理解哥德巴赫猜想, 我们看几个例子:

$$6=3+3,\ \ 8=3+5,\ \ 10=3+7,$$

$$15=3+5+7,\ \ 17=3+3+11$$

哥德巴赫猜想提出到今天已有 270 多年了, 可是至今还不能最后肯定其真伪. 人们积累了许多的数值资料, 都表明这两个猜想是合理的, 因此相信哥德巴赫猜想大概是正确的.

不过, 要严格证明这个看起来简单的问题其实十分困难, 以至从提出猜想到 19 世纪结束近 160 年中, 数学家们甚至不知道如何对它着手进行研究. 难怪 1900 年在巴黎召开的第二届国际数学家大会上, 德国数学家希尔伯特把哥德巴赫猜想列为具有重大意义的 23 个问题中的第 8 个问题的一部分. 1921 年, 英国数学家哈代在哥本哈根数学会议作的一次演讲中认为: 哥德巴赫猜想可能是没有解决的数学问题中最困难的一个.

就在一些数学家感到束手无策的时候, 对哥德巴赫猜想的研究开始从几个方向取得了重大突破. 1920 年以后, 英国数学家哈代、李特尔伍德和印度数学家拉马努金提出了“圆法”, 挪威数学家布伦提出了“筛法”, 苏联数学家施尼雷尔曼提出了“密率”. 在以后的几十年里, 沿着这几个方向, 哥德巴赫猜想的研究取得了可喜的进展, 同时也有力地推进了数论和其他一些数学分支的发展.

特别引以为自豪的是, 我国数学家在哥德巴赫猜想的研究方面取得了领先于世界的优秀成绩. 数学界习惯于把“每一个大偶数可以表示成一个素因子个数不超过 a 个的数和一个素因子个数不超过 b 个的数的和”简单地叫做 $(a+b)$, 因此可把“对充分大的偶数可以表示成两个素数的和”简单地叫做 (1+1). 1957 年, 我国数学家王元证明了 (2+3); 1962 年, 潘承洞证明了 (1+5); 同年, 王元、潘承洞又证明了 (1+4); 继外国人证明了 (1+3) 之后, 1966 年, 陈景润宣布证明了 (1+2). 1973 年, 《中国科学》第二期刊登了陈景润的论文《大偶数表为一个素数及一个不超过二个素数的乘积之和》. 陈景润的方法被誉为“陈氏定理”, 是筛法理论的光辉顶点, 是对研究哥德巴赫猜想的重大贡献. 它使数学家们离哥德巴赫猜想的最终证明似乎只有一步之遥, 但这一步, 经过 40 年至今仍无人跨越.

6. 幻方

关于数字的美, 我们在这里还要提到一个典型的例子——幻方. 幻方, 由于其趣味横生、美妙无比, 不妨把它称为一种奇妙的数学游戏. 关于幻方, 有许多有趣而神奇的传说.

"传说伏羲氏时, 有龙马从黄河出现, 背负'河图'; 有神龟从洛水出现, 背负'洛书'. 伏羲根据这种'图'、'书'画成八卦, 就是后来《周易》的来源."①又据传说, 大禹治洪水时, 上天赐给他以"洪范九畴", 西汉刘歆认为《尚书·洪范》即是洛书.

神秘的传说使得世人对"河图"和"洛书"推崇备至, 把它们当作圣人出世的预兆和安邦治世的奇珍. 《周易》中就有"河出图, 洛出书, 圣人则之"的说法. 古代孔夫子曾满怀抱负, 周游列国, 但都不能被重用, 主张无法实现. 他感到心灰意冷, 叹息道: "凤鸟不至, 河不出图, 吾已矣夫!" (《论语·子罕》) 意思是: 吉祥的凤凰没有飞来, 神奇的河图未能出现, 不会有圣人采纳我的主张, 一切算了吧!

权且不谈这一传说的神秘色彩, 不妨看一看这所谓的"河图""洛书"到底是什么. 如图 1 所示, "洛书"中有黑白点四十五个, 用直线连成九数. 黑点组成的数都是偶数 (古称阴数), 白点表示的数是奇数 (古称阳数). 将"洛书"译成今天的符号, 便是一个"幻方" (见表 1). 其中行、列及两条对角线上数字和均相等, 称为"幻和". 该幻方有三行三列, 故称"3 阶幻方".

这个小小幻方蕴藏着无尽的数字奥秘, 直到近年仍不断有新的发现. 在 1970 年和 1997 年出版的

① 见上海辞书出版社 1979 年版《辞海》缩印本.

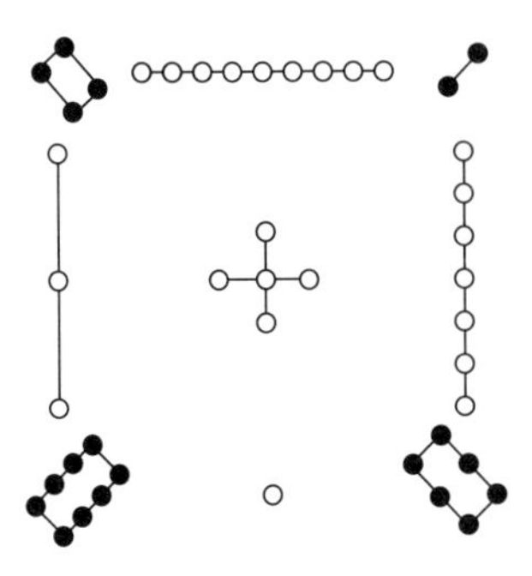

图 1　洛书

文献[①][②]中, 给出了洛书幻方的如下性质: 将幻方的一、三两行对调 (表 2) ,

表 1　洛书今译

2	9	4
7	5	3
6	1	8

表 2

6	1	8
7	5	3
2	9	4

便可得到下面一些平方和等式:

$$618^2 + 753^2 + 294^2 = 816^2 + 357^2 + 492^2$$

(行逆序幂相等)

$$672^2 + 159^2 + 834^2 = 276^2 + 951^2 + 438^2$$

(列逆序幂相等)

① R. Holmes, The Magic Magic Square, Math. Gazette LIV, 390(1970) 376.

② E. J. Barbeau, Power Play, The Mathematical Association of America, Washington DC ,1997.

$$654^2+132^2+879^2=456^2+231^2+978^2$$

(主对角线逆序幂相等)

$$639^2+174^2+852^2=936^2+471^2+258^2$$

(副对角线逆序幂相等)

$$654^2+798^2+213^2=456^2+897^2+312^2$$

(主对角线另一逆序幂相等)

$$693^2+714^2+258^2=396^2+417^2+852^2$$

(副对角线另一逆序幂相等)

图 2 给出后四式中数的组成模式 (○ 为始点, 箭头为方向) .

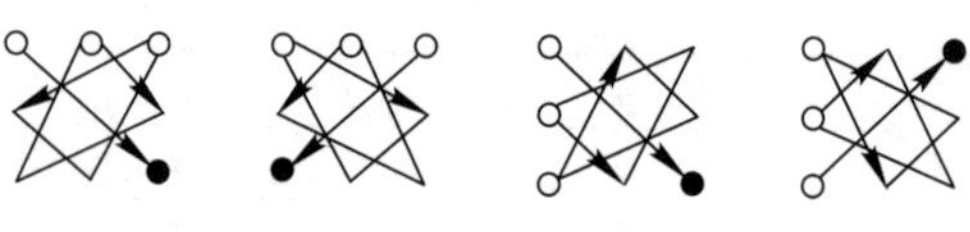

图 2

由于幻方中蕴含着奇妙的数字美, 因而引起了人们对于幻方的偏爱. 喜欢幻方的不仅有数学家 (如欧拉) , 还有物理学家、政治家 (如富兰克林) , 更有孩童 (105 阶幻方的构造者就是纽约一位 13 岁的儿童逊达) .

为了追求新意, 人们制造了许多有着奇特性质的幻方. 下面列举几种, 供大家欣赏.

(1) 筒形幻方

表 3 给出的 4 阶幻方 (它刻在一件文艺复兴时期的雕塑上) 具有筒形性质, 即将它沿横向或纵向卷起来粘上, 沿任一直线剪开后仍是一个 4 阶幻方 (图 3) .

表 3

7	12	1	14
2	13	8	11
16	3	10	5
9	6	15	4

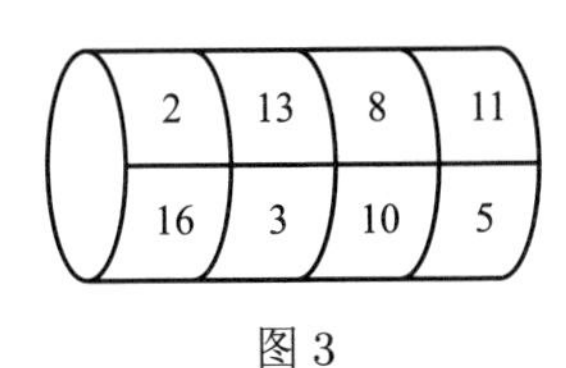

图 3

(2) 九九图

我国宋朝数学家杨辉在《续古摘奇算法》中给出了一个 9 阶幻方 (见表 4)：

表 4

31	76	13	36	81	18	29	74	11
22	40	58	27	45	63	20	38	56
67	4	49	72	9	54	65	2	47
30	75	12	32	77	14	34	79	16
21	39	57	23	41	59	25	43	61
66	3	48	68	5	50	70	7	52
35	80	17	28	73	10	33	78	15
26	44	62	19	37	55	24	42	60
71	8	53	64	1	46	69	6	51

该幻方蕴含着许多奇特的性质 (其中有些至今才被人们发现)：

• 距离幻方中心 41 的任何中心对称位置上两数之和都为 82. 注意 $1^2+9^2=82$.

• 将幻方按表中粗线分成九块, 即得九个 3 阶幻方.

• 若把上述九个 3 阶幻方的每个幻方的“幻和”值写在九宫格中 (如表 5 所示) , 它又构成一个新的 3 阶幻方, 并且幻方中的九个数构成首项是 111、末项是 135 的公差为 3 的等差数列. 如再将这些数按大小顺序的序号 (表 5 中圈起来的数字) 写在九宫格中, 恰好是“洛书”幻方.

表 5

120 ④	135 ⑨	114 ②
117 ③	123 ⑤	129 ⑦
132 ⑧	111 ①	126 ⑥

(3) 素数幻方

我们知道, 素数的分布没有简单的规律可循, 要用素数作成幻方实在是一件难事. 可幻方爱好者还是作出了一些幻方 (见表 6、表 7).

表 6

569	59	449
239	359	479
269	659	149

表 7

17	317	397	67
307	157	107	227
127	277	257	137
347	47	37	367

其中, 表 6 给出的幻方中各个元素的尾数全是 9, 幻和为 1077; 表 7 给出的幻方中各个元素的尾数全是 7, 幻和为 798.

(4) 黑洞数幻方

表 8 给出的幻方简直是 6174 的天下.

表 8

1341	1791	1476	1566
1836	1206	1701	1431
1611	1521	1746	1296
1386	1656	1251	1881

该幻方的 4 行 4 列的数字, 按从左上到右下方向的 4 条对角线的 4 个四位数 (图 4 中实线连接的数字) 之和是 6174, 按从右上到左下方向的 4 条对角线的 4 个四位数 (图 4 中虚线连接的数字) 之和也是 6174, 每一个田字格中的 4 个数之和仍然是 6174. 幻方中的一些长方形、平行四边形、梯形等几何图形, 其四个角上的 4 个数之和, 也是 6174 这个精灵.

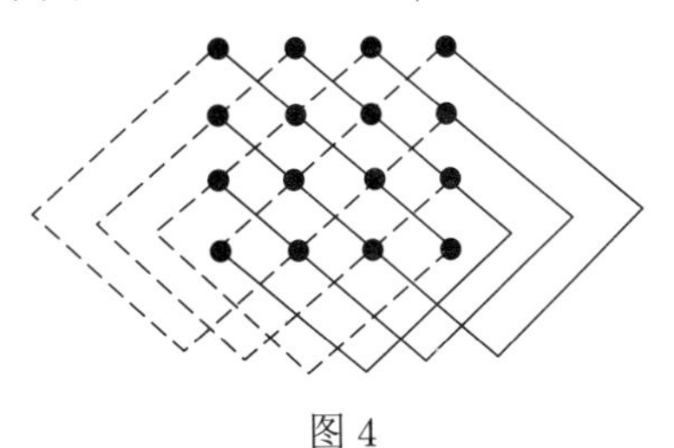

图 4

更神奇的是该幻方中的 16 个数, 像 16 个仙子, 通过一定的四则运算, 个个可以变成 6174. 比如, 对于 1341, 将它按数字大小从大到小重新排序得到一个数 4311, 再按数字大小从小到大重新排序得到一个数 1134, 两数相减, 即得

$$4311 - 1134 = 3177$$

将 3177 按上述方法重新排序, 得到两个数: 7731 和 1377. 将这两个数相减得

$$7731-1377=6354$$

如此做下去, 就有

$$6543-3456=3087,\ \ 8730-378=8352$$

$$8532-2358=6174$$

瞧! 计算到一定次数以后, 就会出现幻和 6174! 而对于 6174, 按同样的算法将仍然得到它本身! 读者不妨再取一个数试一试, 用同样的算法, 最多 6 次可到达 6174, 多么奇妙!

数学中把 6174 这类数叫做黑洞数. 黑洞数幻方像魔术一般, 给人一种美的享受!

7. 几个重要的数—— 0,π,e,i

0, π, e,i 是数学中常用的几个常数. 这几个常数, 有的地位重要、作用不凡, 有的性质独特, 有的来历曲折, 有的应用广泛, 因而都散发出迷人的魅力.

- **功不可没的 0**

我们开始学数学时就认识了 0, 并且知道它的意义是表示“无”, 比如: 5−5=0, 这里的 0 就表示这个含义. 但随着学习的深入, 才明白 0 的含义不止如此. 在位值记数制中, 十进制的 10, 其 0 一方面表示个位上的“无”, 另一方面又指示出左边的 1 在十位, 代表的数值正好是原来的十倍. 引入正、

负数以后, 0 成了正数与负数的分界点, 是数轴上的原点.

在人类文明进程中, 数字 0 的发明无疑具有划时代的意义. 有了 0, 不仅使记位数字的表达简洁明了, 使得数学运算简便易行, 而且从 0 的概念出发, 发展出以 0 为极限的无穷小, 进而产生导数、微分和积分. 可以毫不夸张地说, 0 是数字中最重要和最具有意义的数. 没有 0, 便没有现代数学, 也就没有在此基础之上建立的现代科学.

然而, 历史上“零”的出现, 特别是零的符号“0”的出现, 却经历了非常曲折的过程. 零的符号 0 可以说是位值记数法的必然产物, 否则人们便难以区分和表示诸如 307, 3007, 370 这样的数目. 用 0 表示零, 是印度人的贡献. 在古印度, 307 曾被表示成“3 7”, 中间所空的格表示其十位上的数字没有, 但这很容易与 3007 等数字混淆, 人们逐渐发现了这一缺点, 开始在空格处加上小圆点“·”, 在公元 876 年的石碑上, 已记有数 0, 后来随着其他印度数码传入阿拉伯和欧洲.

中国是最早使用位值记数法的文明古国之一. 殷商甲骨文中已使用完整的十进制记数. 从现存公元前 3 世纪的刀币上可见, 至迟到春秋战国时代 (前 770—前 221), 开始出现严格的十进位值制筹算记数, 零用空位表示, 后来创造了数码“○”. 中国的 ○ 虽然比印度的“0”晚出现了两个世纪, 但在当时仍处于世界领先的地位. 在欧洲, 经过了漫长的中世纪, 一直到文艺复兴的初期, 还不知道、不承认 0, 并且把 0 作为一个异教的符号而极力加以排斥和打击. 因此, 直到那个时期欧洲人很少能够顺利地进行乘除法. 后面我们将要提到: 祖冲之对圆周率精确计算到小数点后面的第七位, 领先于欧洲一千年, 其实祖冲之计算圆周率的方法并不比欧洲人领先, 本质上是中国人领先欧洲人掌握了十进位值制筹算记数, 从而更早地掌握了乘除法的艺术. 因此, 0 的出现和使用无疑是数学对人类文明的一个石破天惊的重大贡献.

有趣的是, 汉字"零"公元前就已出现, 比数码"○"早一千多年, 但其原意并不含有"空"和"无"的意思, 而是指徐徐而下之雨, 后来引申作"零头"解. 我国古代早就把 105 读作"一百零五", 意思是说除了一百以外还有个"零头"五, 以后, 因为 105 又写作"一百 ○ 五", "○"也就随之读作"零". 巧得很, "○"外形也颇像个小水珠, 恰好与"零"的原意不谋而合.

• 令人着迷的 π

我们知道, 圆的周长和直径的比是个与圆的大小无关的常数, 其值为 $3.1415926\cdots$, 通常用希腊字母 π 来表示, 称为圆周率.

圆周率 π 是在数学和其他自然科学中经常使用的一个重要常数. 计算圆的周长和面积, 计算球、球缺、球台、圆柱、圆锥、圆台等各种旋转体的表面积和体积等, 只要一涉及与圆有关的各种几何体的计算, 就几乎不可避免地要求助于 π. 如果用弧度做单位, 那么从最简单的三角形直到比较复杂的多边形内角和, 都可以用 π 来表示. 此外, 许多函数也与 π 关系密切, 其中最有代表性的就是大家熟知的三角函数, 要研究这些函数的性质, 也少不了和 π 打交道.

正因为 π 在数学中扮演着这样一个重要角色, 而 π 的求值又有相当的难度, 需要有效的方法和娴熟的技巧, 所以计算 π 的值成了数学史中一道亮丽的风景. 一位德国数学家曾评论道: "历史上一个国家所算得的圆周率的准确程度, 可以作为衡量这个国家当时数学发展水平的一个标志."

根据最早有文字的记载, 在公元前 2000 年左右, 巴比伦人就给出

$$\pi = 3\frac{1}{8} = 3.125$$

而埃及人在公元前 2000 年前已用了

$$\pi = 4 \times \left(\frac{8}{9}\right)^2 = 3.1605$$

首先从理论上给出 π 值的正确求法的是公元前 3 世纪的古希腊数学家阿基米德. 他用圆外切与内接正多边形的周长从大、小两个方向上同时逐步逼近圆的周长, 并用穷竭法求得

$$3\frac{10}{71} < \pi < 3\frac{1}{7}$$

我国则在公元前 1200 年还在使用

$$\pi \approx 3$$

并一直使用了好几个世纪. 这就是所谓的“径一周三”. 直到三国时代 (公元 3 世纪), 数学家刘徽创立了划时代的“割圆术”, 我国才在 π 值的计算上取得了长足的进步. 割圆术的基本思想是用圆内接正多边形的面积来逐步逼近圆的面积, 体现了一种十分先进的极限观点, 是我国古代数学贡献给人类文明的一件珍宝. 刘徽从单位圆内接正六边形开始, 逐次将边数加倍, 一直算到圆内接正 3072 边形, 求得

$$\pi \approx 3.14159$$

取精确到小数点后两位数字得: $\pi \approx 3.14$, 这就是历史上有名的“徽率”. 继刘徽之后, 我国南北朝时期的数学家祖冲之, 又在世界上第一次准确地把 π 值推算到小数点后七位, 得到

$$3.1415926 < \pi < 3.1415927$$

这一惊人的记录, 直到约近千年后的 15 世纪, 才被阿拉伯数学家阿尔 · 卡西打破, 他通过分别计算圆内接和外切正 3×2^{28} 边形的周长, 把 π 值的计算精确到小数点后 16 位.

之后, π 值的计算不断被改进. 在力图获得更高的计算精度的过程中, 为了提高计算的速度, 人们相继发现了一些新的计算 π 的方法, 比如: 无穷级数、无穷乘积、蒙特卡罗方法等. 特别是 20 世纪 40 年代电子计算机出现以后, 借助于新的计算工具, 人们计算 π 的能力大大增强, 至 1999 年, 已经算到小数点后 2061 亿位. 关于 π 的各种计算方法、原理以

及计算 π 值的历史记录，读者可参阅李大潜院士所著《圆周率 π 漫话》(列入本丛书第一辑)．

值得指出的是，对于实际应用来说，π 的数值计算，并不需要那么多位．用祖冲之的密率 (355/113) 计算地球赤道长度 (假定地球为绝对的球体)，误差仅在 3 米左右，高精度的人造卫星的测量也不过如此．人们对 π 的计算投入如此大的热情，其原因是多方面的．比如：借助这一典型的带挑战性的课题，不断检验和改进计算机的硬件及软件的功能；再比如：通过计算 π 在小数点后更多的数值来观察 π 的性质．事实上，很长一段时期，人们不知道 π 是无理数还是有理数，这就需要考察它的小数部分是不是循环的．这一点，可以通过大量的运算来观察．果不其然，有人真从 π 的数值中发现了不少规律：π 值从小数点后第 710100 位起连续出现 333333；小数点后一千万位中，有 87 回连续出现 6 个同样的数字，例如从第 762 位开始，就连续出现 999999．π 值中还有许多美妙的现象：π 的前六位有效数字 314159 是个素数，把它反过来 (即 951413) 还是素数；314159 恰好是三个素数 31, 41, 59 连写而成，这三个素数的和 31+41+59=131，它们的立方和 $31^3+41^3+59^3=304091$，以及五次方和 $31^5+41^5+59^5=859409651$ 也都是素数 ······ 在这些现象当中，我们再一次体会到了数字的美!

多少年来，不仅 π 值的计算让人们投入了巨大的热情，π 还留给了我们更多的谜，吸引着人们去探索．上面已经提到：π 是有理数还是无理数？起

初人们认为 π 是有理数, 于是千方百计地企图把 π 值表示成连分数的形式. 然而, 始终没有一个分数能把 π 准确表示出来; 通过计算和观察 π 值的小数部分, 也没有发现循环的现象. 1767 年, 瑞士数学家兰伯特 (J. H. Lambert) 终于证明了 π 是一个无理数, 解开了这个困扰人们多年的谜团. 接着, 欧拉于 1775 年又提出了一个关于 π 的问题: π 会不会是一个整系数代数方程的根, 即是一个代数数呢? 经历了一百多年以后, 又一位德国数学家林德曼 (F. von Lindemann) 于 1882 年证明了 π 是超越数, 就是说 π 不仅不能表示成分数的形式, 也不是任何整系数代数方程的根. 这是一个意义非凡的成果! π 是超越数, 就宣告了古希腊三大尺规作图难题中"化圆为方"是不可能的. 这一公元前 434 年提出的问题, 在二千三百多年后终于得到解决. 由此可以看出对 π 研究的深刻价值!

- **神通广大的 e**

e 是自然对数的底数, 其值为

$$e = 2.718281828459\cdots$$

是一个无限不循环小数 (即无理数) . 18 世纪, 欧拉首次用字母 e 来表示它, 一直沿用至今.

e 也是数学中的一个常用的常数. 科学计算器上总有个按钮上标着 ln, 说明书告诉我们它可以用来计算以 e 为底的对数; 大多数计算机编程语言的数学库中总会提供一个 exp 函数, 用于求 e 的幂; 学习了高等数学后就会知道, 很多重要的函数、极限、微分和积分, 都与数 e 有着极为密切的关系.

虽说都是很重要的常数, 但对大众而言, e 远不如 π 来得有名. 它不够直观, 不像 π, 可以表示半径为 1 的圆的面积. 其实, 和 π 一样, e 也可以从几何上给出一个直观的表示. 不过这个图形没有圆那么容易画出来. 我们需要作 $f(x)=\dfrac{1}{x}$ 的函数图像, 这是一条双曲线. 该曲线和 x 轴、直线 $x=1$ 及 $x=\mathrm{e}$ 所围图形面积正好是 1 个单位.

在数学上, 将 e 定义为无穷递增有界数列

$$\left\{\left(1+\frac{1}{n}\right)^n\right\}$$

当 $n\to\infty$ 时的极限. 即

$$\mathrm{e}=\lim_{n\to\infty}\left(1+\frac{1}{n}\right)^n$$

这是现在对 e 的定义. 然而在历史上, 人们是通过制作对数表开始认识数 e 的.

我们知道, 利用对数可以简化繁难的计算. 而要实现这一点, 必须使用专门的对数表. 由于我们习惯于十进制记数系统, 以 10 为底的对数对于我们就比较方便. 但是, 历史上最早的对数表却不是以 10 为底的. 无论是苏格兰数学家纳皮尔 (Napier) , 还是瑞士力学家比尔吉 (Bürgi) , 他们的第一张对数表的底都与 e 有关. 为什么呢? 原来, 如果一开始就直接编制以 10 为底的对数表, 哪怕只精确到万分位, 也会碰到要把 10, 100, 1000 等数开 10000 次方的难以克服的困难, 看看表 9 就会明白这一点:

表 9

以 10 为底的对数 lg N	相应的真数 N
0.0000	$10^0 = 1$
0.0001	$10^{0.0001} = \sqrt[10000]{10}$
0.0002	$10^{0.0002} = \sqrt[10000]{100}$
$\cdots$	$\cdots$

而如果不以 10 为底, 改以某个常数的 10000 次幂为底, 就可以避免制表时开方的困难. 表 10 是以 2^{10000} 为底的情形:

表 10

$\log_a N (a = 2^{10000})$	相应的真数 N
0.0000	$(2^{10000})^{0.0000} = 1$
0.0001	$(2^{10000})^{0.0001} = 2$
0.0002	$(2^{10000})^{0.0002} = 2^2 = 4$
0.0003	$(2^{10000})^{0.0003} = 2^3 = 8$
$\cdots$	$\cdots$

但是, 如果底越大, 相应的真数的间隔也就越大, 很多数的对数我们就无法取得. 例如, 在上面以 $a = 2^{10000}$ 为底的对数表中, 3, 5, 7 等一连串的对数就都没有.

经过一段探索以后, 容易发现, 以 $a = r^{10000}$ 为底制作 (四位) 对数表, r 越接近 1, 相应真数的间隔也就越细密, 所制成的对数表也就越精确. 就这样, 纳皮尔和比尔吉在制作对数表的过程中不谋而合地采用了形如 $a = \left(1+\frac{1}{n}\right)^n$ 的底. 事实上, $a = 1.0001^{10000} = \left(1+\frac{1}{10000}\right)^{10000}$ 就是比尔吉对数表的底, 而纳皮尔对数表的底则相当于 $a = 1.0000001^{10000000} = \left(1+\frac{1}{10^7}\right)^{10^7}$, 它们都是数 e 的近似值.

可以说, 正是数 e 帮助人们制作了世界上第一个比较完整、实用的对数表. 人们都说对数是一个了不起的发明, 它可以把任何两个正数的乘除运算化为相应的指数幂的 (也就是对数的) 加减运算, 实现了由乘除到加减的惊人的转化, 使人类从大量繁琐的乘除运算中解放出来. 殊不知, 这里也有数 e 的一份汗马功劳!

对于数学家们来说, 数 e 的另一个功劳也许更值得赞誉, 那就是它帮助人们证明了 π 的超越性. "超越数" 这一术语是欧拉首先引入的, 意思是这种数 "超越了代数方法的能力", 不过, 欧拉并未给出任何具体的超越数, 直到一百多年后的 1840 年, 法国数学家刘维尔 (Liouville) 才证明了超越数确实存在. 现在我们已经知道, 超越数甚至比代数数还要多得多. 人们很早就猜测 π 和 e 可能是超越数. 1873 年, 法国数学家埃尔米特 (Hermite) 终于证明了 e 是超越数. 1882 年, 德国数学家林德曼在埃尔米特证明 e 是超越数的基础上, 最终证明了 π

也是超越数. 而在此之前, π 的超越性一直是数学家们啃不动的硬骨头.

人们对数 e 的真正认识, 还是在 17 世纪中叶, 数学家们发现双曲线下的面积与对数之间的关系

$$\int_1^x \frac{1}{x}\mathrm{d}x = \ln x$$

这里, 符号 ln 表示以 e 为底的对数, 我们现在称为 “自然对数”.

在微积分中, 不难得到

$$(\ln x)' = \frac{1}{x}$$

以及

$$(\mathrm{e}^x)' = \mathrm{e}^x$$

即以 e 为底的指数函数的导数就是它自身.

这是一条极其优美而重要的性质. 正是由于这一性质, 以 e 为底数后, 许多结论都是最简的, 使人不得不承认以 e 为底的对数是最 “自然” 的, 所以叫 “自然对数”.

独特的定义和优美的性质, 使得人们对 e “情有独钟”. 在科学技术和日常生活中, 到处都可以看到 e 的影子.

当我们到银行储蓄时, 会遇到利息问题. 如果本金为 1, 年利率为 2.25%, 一年后的本利和为 1+0.0225; 如果利率不变但每半年计息一次, 一年后的本利和为

$$\left(1 + \frac{0.0225}{2}\right)^2$$

如果一个季度计息一次, 一年后的本利和为

$$\left(1+\frac{0.0225}{4}\right)^{4}$$

如此下去, 如果每时、每分、每秒 $\cdots\cdots$ 计息, 第一年的本利和应是

$$\lim_{n\to\infty}\left(1+\frac{0.0225}{n}\right)^{n}=\mathrm{e}^{0.0225}$$

请看, 我们身边出现了奇妙的数 e!

除了利息问题, 考古学也和 e 攀上了亲戚关系. 考古学上常用的鉴定年代方法是碳 –14 定年法. 放射性碳 –14 不稳定, 会衰变成碳 –12. 活着的动植物通过呼吸, 体内自然也含有碳 –14. 在活的组织中, 碳 –14 的摄取率正好与碳 –14 的衰变率相平衡. 但是, 当组织死亡以后, 它就停止摄取碳 –14, 而原来留在体内的碳 –14 则继续衰变, 经过 5568 年 (即半衰期) , 碳 –14 的量剩下原来的一半, 经过 11136 年, 剩下原来的四分之一. 可以证明: 经过的时间和剩余的质量之间的关系是 $M(t)=M_0\mathrm{e}^{-\lambda(t-t_0)}$, 其中衰变常数 $\lambda\approx1.2\times10^{-4}$. 如果测出考古发掘物 (如兽骨、木炭、贝壳等) 的碳 –14 含量 $M(t)$, 利用上述公式即可断定其存在的年代 t_0. 与上述碳 –14 定年法类似, 鉴定一幅画的真伪, 也得和 e 打交道. 因为任何一幅画的颜料中都含有铅 –210 和镭 –226, 因此利用两者的放射性, 可以大致判别画的年代, 从而让赝品“原形毕露”.

现代科学技术的迅猛发展，使人类跨入了太空领域. 其中，数 e 也大有用武之地. 大家知道，发射人造卫星或宇宙飞船，必须使用火箭. 俄国的星际航行专家齐奥尔科夫斯基 (1857—1935) 早就发现，火箭的运动速度可以用方程

$$v = w \ln z$$

表示，其中 v 是火箭的理想速度，w 是火箭发动机的排气相对于火箭的速度，z 是火箭的最初质量与发动机停止时的质量之比 (简称质量比) . 我们又一次看到，是数 e 帮助人们揭示出火箭运动的规律，终于实现了遨游太空的梦想!

数 e 有这么多的应用，真可谓神通广大!

如读者希望对 e 有更多的了解，可参看李大潜院士所著《漫话 e》(列入本丛书第二辑) .

• 虚无缥缈的 i

i 是什么? 用比较现代的数学术语来说，i 是虚数单位，它满足 $\mathrm{i}^2 = -1$，是 -1 的一个平方根. 而将形如 $a + b\mathrm{i}$ 的数 (a, b 为实数) 称为复数，其中 $b\mathrm{i}$ 称为纯虚数.

今天，复数已经作为一种重要的数活跃在数学的舞台. 然而，虚数单位 i 的形成和复数的产生却经历了漫长的过程.

16 世纪以前，人们对于数的认识和使用还只限于实数的范围. 由于所有实数的平方总是非负的，人们找不到任何实数 x 能够满足 $x^2 = -1$，因而也就认为 -1 开平方没有意义.

据记载, 12 世纪印度数学家最早接触到负数开平方的问题, 但他们不承认负数有平方根. 16 世纪中叶, 意大利数学家卡尔达诺 (Cardano) 在研究二次与三次方程的解法时又遇到了负数开平方的问题. 特别使他惊奇的是, 按照他从数学家塔尔塔利亚那里学来的著名的三次方程求根公式 (现称卡尔达诺公式) , 某些三次方程的实数根竟用含负数平方根的代数式表示出来, 尽管感到十分为难, 他还是承认负数的平方根仍然是“数”. 例如, 他曾把方程 $x(10-x)=40$ 的两个根表示成 $x_1=5+\sqrt{-15}$ 和 $x_2=5-\sqrt{-15}$. 卡尔达诺觉得奇怪, 称 $\sqrt{-15}$ 是“诡辩的量”, 并且自我解嘲地说: “不管我的良心会受到多大的责备, 但是, 的的确确 $5+\sqrt{-15}$ 乘 $5-\sqrt{-15}$ 刚好是 40! ” 虽然卡尔达诺认为负数的平方根是“虚构的诡辩的量”, 但他毕竟将负数的平方根引进了数学领域, 不再把它们拒之门外.

16 世纪末叶, 另一位意大利数学家邦别利 (Bombelli) 也在解三次方程的过程中遇到了负数的平方根. 比卡尔达诺更进一步的是: 他不但理直气壮地承认负数的平方根是实实在在的数, 而且大胆地建立起了一整套有关 $a+b\sqrt{-1}$ (其中 a,b 为实数) 的运算法则. 邦别利的工作实质上是复数理论的开端.

但是, 18 世纪以前, 包括一些相当杰出的数学家在内的绝大多数数学家, 对于负数开偶次方仍持怀疑态度. 就连 17 世纪的法国大数学家笛卡儿也认为负数开平方是“不可思议的”, 称之为“虚数”, 这一名称就一直沿用到现在.

18 世纪初, 情况开始有所转变, 不少数学家, 如德国的莱布尼茨、瑞士的约翰 · 伯努利、法国的棣莫弗, 尽管对复数的本质还不甚理解, 仍然干劲十足地使用虚数来解决某些数学问题.

18 世纪 70 年代, 欧拉引进了虚数单位 i, 系统地建立了以形如 $a+b\mathrm{i}$ 的数 (a,b 为实数) 为运算对象的复数理论 (不过, “复数” 这一名称直到 19 世纪才由德国数学家高斯给出) , 并推导出了今天被称为复变函数这一数学分支中的一些基本定理.

18 世纪末, 挪威的一位测量学家韦塞尔 (Wessel) 提出可以把复数 $a+b\mathrm{i}$ 看作平面上坐标为 (a,b) 的点, 从而使复数的全体与平面上的点的全体建立一一对应的关系, 比较完整地给出了复数意义的几何解释. 从此以后, 复数在大多数数学家的眼里总算有了一席之地.

19 世纪初, 德国数学家高斯又进一步发展了韦塞尔的思想, 用互相垂直的实轴和虚轴建立起复平面, 并正式引进了复数的概念. 高斯指出: “这样的几何表示使人们对虚数真正有了一个新的看法.” 由于 “看得见”“摸得着”, 虚数已不再是虚无缥缈没有实际意义的数了, 它广泛渗透到各个数学分支, 并在流体力学、热力学、地图学上得到应用.

上面我们介绍了数学中常用的四个常数, 你一定会为它们各自的魅力而惊叹! 惊叹之余, 你是否在想: 这四个来历不同、性质各异的常数会有一定

的联系吗? 对这个问题, 数学家欧拉给出了满意的答案. 他利用棣莫弗公式发现了三角函数与 e 的虚指数幂之间的关系

$$e^{ix} = \cos x + i \sin x$$

在此式中令 $x = \pi$, 就得到了一个重要的关系式

$$e^{i\pi} + 1 = 0$$

在这个等式中, 同时出现了上面介绍的四个常数 0,π,e,i, 还包括了另一个重要的常数 1. 欧拉的公式以如此简洁的形式给出了这五个常数和谐美妙的联系, 我们不由得再一次体会到了数学的美!

(二) 几何中的美

数学是研究数量关系与空间形式的科学. 数学的美不仅体现在数量关系上, 就空间形式来说也美不胜收. 有许多曲线和曲面, 不仅在形式上给人以美的感受, 还有许多迷人的性质和神奇的应用, 令人惊叹不已. 下面我们列举几例.

1. 圆

毕达哥拉斯学派曾指出: “一切立体图形中最美的是球形, 一切平面图形中最美的是圆形. ” 圆是非常美丽的图形, 它没有起点, 没有终点, 浑身光滑, 毫无瑕疵, 而且还有很多优美的性质, 例如:

- 圆上任意一点到圆心的距离等于定长;

- 圆是轴对称图形, 通过圆心的任一直线都是它的对称轴;
- 圆还是中心对称图形, 圆心是它的对称中心;
- 无论是大圆还是小圆, 圆的周长与直径之比总是一个常数, 这个常数称为圆周率, 记作 π;
- 在相同面积的平面图形中, 圆具有最短的边界, 或者, 与此等价地, 在相同周长的平面图形中, 圆所围的面积最大, 等等.

这些性质使得圆非常有用. 车轮的外形就是圆, 它不仅能不停地转动, 而且在滚动时, 坐在车上的人不会有上下起伏的感觉, 这些都依赖于圆的上述性质. 想到用圆作为车轮的形状, 实在是了不起的发明, 是人类智慧发展到一定时期的必然产物 (图 5) .

图 5　秦代铜车马

2. 圆锥曲线

圆锥曲线是椭圆、双曲线、抛物线的统称, 因为它们都可以通过“用平面截圆锥”来得到, 所以叫圆锥曲线. 如图 6 所示, 用一不通过圆锥顶点的

平面去截一正圆锥 (两边都是无限延伸的)，就有三种可能. 如果平面与一根母线平行, 那么平面就只与正圆锥的一半相交, 交线是一抛物线. 如平面不与母线平行, 则还有两种可能: 一是与圆锥的一半相交, 交线为一封闭曲线, 是椭圆; 另一可能是与圆锥的两部分都相交, 交线就是双曲线.

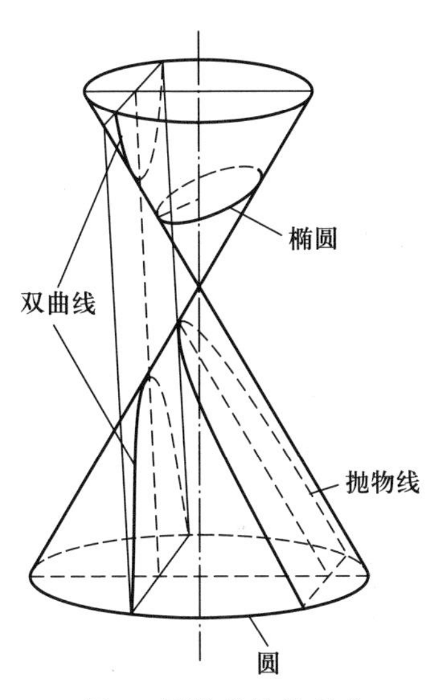

图 6　圆锥曲线的形成

早在古希腊, 著名的数学家阿波罗尼奥斯就详尽、系统地研究了圆锥曲线, 写成了《圆锥曲线论》八卷, 将圆锥曲线的性质网罗殆尽, 两千年内几乎使后人无插足的余地. 今天, 我们可以用这样的语言给出椭圆、双曲线及抛物线这三种圆锥曲线的统一的定义: 平面上到一定点 F 的距离与到一不过该

定点的定直线 l 的距离之比为常数 e 的动点的轨迹. $e<1$ 时称为椭圆, $e>1$ 时称为双曲线, $e=1$ 时称为抛物线. 这一定义抓住了三种圆锥曲线的共同的本质, 让我们体会到了数学的统一美.

现实生活中圆锥曲线的例子有很多. 双曲线有两条对称轴, 与双曲线相交的对称轴称为"实轴", 与双曲线不相交的对称轴称为"虚轴". 双曲线绕实轴旋转一周所得到的曲面称为旋转双叶双曲面. 专门为摄影师设计的照明灯, 就把反光镜的表面做成旋转双叶双曲面的形状, 并让灯丝恰好位于焦点. 这种镜面能够使光源发出的光线经过反射以后, 好像是从另一个焦点发出来的 (图 7). 这样做出的灯具有什么好处呢? 原来在室内拍照片时, 为了把被摄对象照得更亮, 摄影师总想把灯尽可能放近些, 但灯光是中心放射式的, 灯放得越近, 光线的放射性效应越明显. 这种照明灯利用双曲线的光学性质, 可以使反射出的光线接近于平行光线. 这样, 既获得了足够的亮度, 又使光线尽可能均匀柔和.

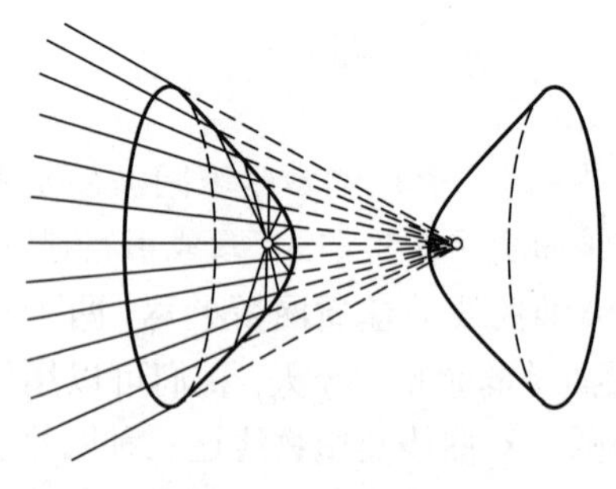

图 7　摄影照明灯

双曲线绕虚轴旋转形成的曲面称为旋转单叶双曲面. 单叶双曲面是直纹曲面, 它上面有两组直母线族, 各组内的母线彼此不相交, 而与另一组母线总相交. 这种性质可以用来构筑坚固的水塔. 用钢筋混凝土造水塔时, 如果把钢筋作为两组直母线族, 使它们构成一个单叶双曲面, 就会得到一个非常轻巧又坚固的建筑物. 许多化工厂或炼钢厂的双曲面形冷却水塔就是用这个原理建造而成的 (图 8).

图 8　冷却水塔

抛物线绕其轴旋转得到的曲面称为旋转抛物面. 探照灯和汽车前灯 (图 9) 的反光镜都作成旋转抛物面的形状, 它把安装在焦点处的点光源射出的光线平行地反射出去. 太阳能灶的聚光镜也作成旋转抛物面, 把沿平行于对称轴射来的阳光 (平行光) 集中到焦点上, 在焦点处产生高温. 由于电磁波的传播与光线一样, 雷达和无线电天文望远镜的天线也都作成旋转抛物面, 以保证电磁波的发射或接收有良好的方向性. 2012 年 10 月 28 日, 全方位可动的上海 65 米射电望远镜在上海天文台正式落成. 这台射电望远镜的综合性能排名亚洲第一、世界第四, 能够观测 100 多亿光年以外的天体, 将参与我国探月工程及各项深空探测.

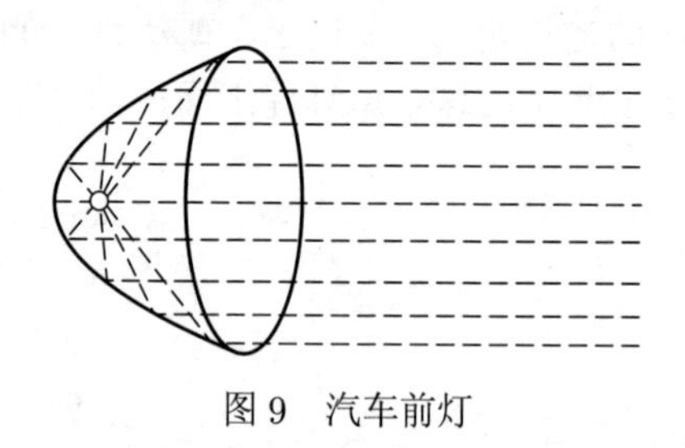

图 9　汽车前灯

3. 黄金分割

将一线段分成两段, 使全段与大段的比等于大段与小段的比, 这就是众所周知的分线段为中外比.

设大段长为 φ, 小段长为 1, 则有

$$\frac{\varphi+1}{\varphi}=\frac{\varphi}{1}$$

即

$$\varphi^2-\varphi-1=0$$

求解此二次方程, 取其正根, 即得 φ 的数值

$$\varphi=\frac{1+\sqrt{5}}{2}\approx 1.6180339887\cdots$$

这是一个无理数, 其近似值可取为 1.618.

早在公元前 500 年以前, 古希腊学者就发现: 矩形的长和宽之比为 1.618 时最佳 (即看起来令人赏心悦目) , 并将这样的矩形称作"黄金矩形", 将黄金矩形的长宽之间的美妙比例叫做黄金分割比. 在欧几里得所著的《几何原本》中有多处涉及黄金分割. 这一古老的数学内容不仅没有被历史的演变和科学的进步所淘汰, 相反, 却永葆青春, 并越来越引起人们的注意. 文艺复兴时代的德国天文学家开普勒说过: "几何学有两大财富, 一个是毕达哥拉斯定理 (勾股定理) , 另一个是按照中外比划分一个线段. 第一大财富可称得上是黄金定理, 而第二大财富则可称为珍珠定理." 1.618 这个比值于 1854 年由德国的美学家莱辛正式定为"黄金分割率".

列入本丛书第一辑的《黄金分割漫话》 (李大潜著) 一书, 通俗、系统地介绍了黄金分割的基本性质及文化内涵, 揭示了黄金分割与正五边形、斐波那契数列、优选法等重要数学概念和方法的紧密联系以及黄金分割在日常生活中的种种表现, 非常值得一看. 这里从该书中选取一些关于黄金分割率 φ 的表达式, 它们从一个侧面反映了 φ 的奇异之美.

- φ 的简单性质

$$\varphi^2 = \varphi + 1$$

$$\frac{1}{\varphi} = \varphi - 1$$

上述关系式其实是 φ 所满足的方程

$$\varphi^2 - \varphi - 1 = 0$$

的简单推论. $\frac{1}{\varphi}$ 的近似值可取为 0.618, 一些书上将 $\frac{1}{\varphi}$ 或其近似值 0.618 称为黄金分割数, 并列举了关于 $\frac{1}{\varphi}$ 的关系式. 根据上述性质, 不难得到相应的 φ 的式子.

- φ 的无穷连分数表示

$$\varphi = 1 + \cfrac{1}{1 + \cfrac{1}{1 + \cfrac{1}{1 + \cdots}}}$$

这个分数中仅仅出现整数 1, 无限次迭代的结果竟然是一个无理数 φ!

- φ 的无穷根式表示

$$\varphi = \sqrt{1 + \sqrt{1 + \sqrt{1 + \sqrt{1 + \cdots}}}}$$

除此之外, φ 还有一个三角表示式

$$\frac{1}{\varphi} = 2\sin 18^\circ$$

事实上, 由 $\sin 36^\circ = \cos 54^\circ$, 即

$$\sin(2 \times 18^\circ) = \cos(3 \times 18^\circ)$$

故

$$2\sin 18^\circ \cos 18^\circ = 4\cos^3 18^\circ - 3\cos 18^\circ$$

因为 $\cos 18^\circ \neq 0$, 所以

$$2\sin 18^\circ = 4\cos^2 18^\circ - 3$$

整理得

$$4\sin^2 18^\circ + 2\sin 18^\circ - 1 = 0$$

即

$$(2\sin 18^\circ)^2 + 2\sin 18^\circ - 1 = 0$$

从而

$$\left(\frac{1}{2\sin 18^\circ}\right)^2 - \frac{1}{2\sin 18^\circ} - 1 = 0$$

故

$$\frac{1}{\varphi} = 2\sin 18^\circ$$

黄金分割比的应用无处不在. 在很长一段历史时期里, 黄金分割的观点一直统治着西方建筑美学. 建于 2400 年前古希腊雅典城的巴特农神殿 (图 10) , 其正立面的长与宽之比接近黄金分割比, 其他许多著名的建筑也遵循同样的法则. 意大利数学家菲披斯注意到一般人在人体肚脐上下的长度比值接近黄金分割 (图 11) , 这是人体上下结构的最优数字. 此外, 他还发现人体结构还有三个黄金分割点: 上肢的分割点在肘关节, 肚脐以下部分的分割点在膝盖, 肚脐以上部分的分割点在咽喉. 如果一个人各部分的结构比都符合黄金分割率, 便是最标准的体型. 在现代生活中, 黄金分割的造型已深

图 10　巴特农神殿

图 11　维纳斯雕像

入到家家户户, 如写字台的桌面、墙上的挂历、信封等, 常常都是黄金矩形, 这说明人们对黄金矩形的偏爱.

被冠以"黄金图形"的几何图形还可以列出很多, 如黄金三角形、黄金椭圆、黄金立方体等, 它们的共性是图形中包含了黄金分割比 φ. 黄金三角形是黄金矩形以外的另一个比较好的黄金图形. 其图形的得来基于 φ 的三角表达式. 通过简单的计算可以知道: 顶角为 $36°$ 的等腰三角形的腰长和底边的比值为 φ (图 12), 以该三角形的底边为腰继续作等腰三角形, 如此下去, 就得到一系列黄金三角形, 且相邻黄金三角形的相似比为 φ.

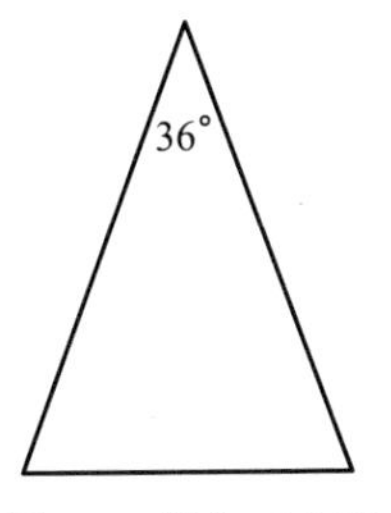

图 12　黄金三角形

作一个圆内接正五边形, 连接对角线作成一个五角星 (图 13), 它是许多国家国旗上的标志, 其中就出现了 20 个黄金三角形. 这个图形的奇妙在于: 只需要 10 条线段, 你就可以一笔画成很多成比例的线段和黄金三角形, 其中包含了 35 个等腰三角形, 且对角线交成一个缩小的五边形, 它与外面一层五边形的相似比为 φ^2. 这个过程可以无限继续下去, 向圆心 O 无限收缩.

更令人惊异的是, 大自然似乎比人类更懂得黄金分割与黄金分割比的奥秘. 例如: 很多植物的叶片是按空间螺旋线自下而上的顺序逐个萌出的, 每相邻两张叶片中线的夹角约为 $137°28'$, 这正好

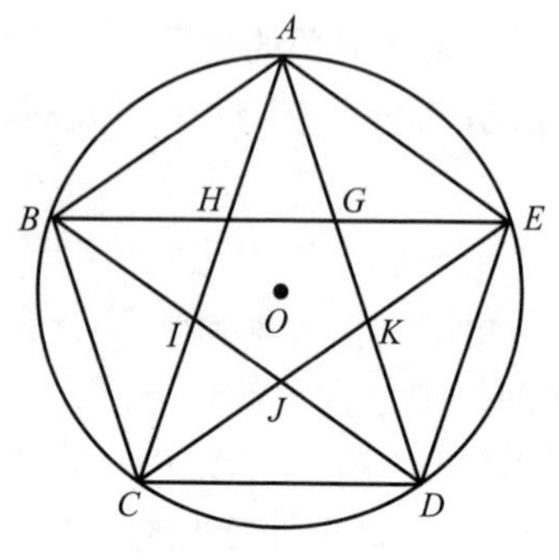

图 13　五角星

是将 360° 的圆周角按黄金分割法分割的结果 (图 14—图 16)．这样一来, 每片叶子都不会刚好长在另一片叶子上方, 而总会为下方的叶子留出一点空隙, 保证了所有的叶子都能得到尽可能多的阳光、雨露和空气.

图 14　草莓

图 15　大花五桠果

图 16　蒲桃

4. 螺线

我们先从上面提到的黄金矩形谈起. 如图 17, 设 $ABCD$ 为一个黄金矩形, 可以证明: 在此矩形内分割出一个正方形以后, 余下的部分还是一个黄金矩形; 类似地, 在余下的黄金矩形中再分割出一个正方形以后, 余下的部分仍然是一个黄金矩形 $\cdots\cdots$ 如此不断地分割下去, 就可以得到一系列的黄金矩形. 在每个正方形中作内接四分之一圆,就可以得到如图所示的曲线, 随着正方形的不断缩小, 曲线将无限趋近于一点, 经过简单的计算可以知道, 这一点就是 BD 与 CF 的交点 O.

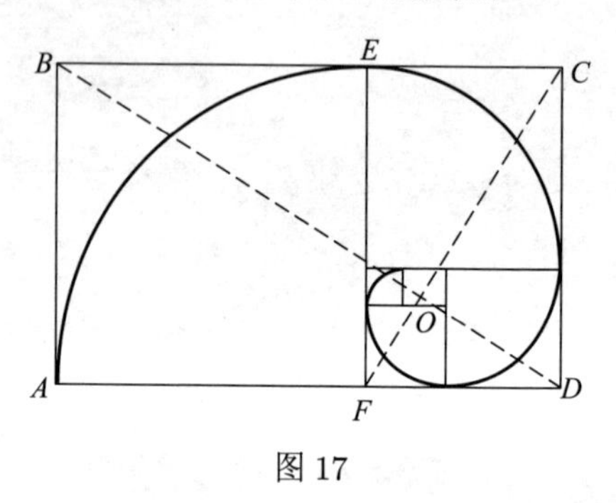

图 17

图 17 中的曲线称为“黄金螺线”. 螺线, 顾名思义, 是一种貌似螺壳的曲线. 鹦鹉螺等贝类壳的外形呈螺线形状 (图 18) , 向日葵花盘内, 种子是按螺线排列的. 这些螺线, 有顺时针转的, 也有逆时针转的, 相互交织在一起, 构成了一幅美丽的图案 (图 19) .

解析几何的创立者笛卡儿于 17 世纪首先给出螺线的解析式为

$$\rho = \mathrm{e}^{a\theta}(\text{对数螺线})$$

$$\rho = a\theta(\text{阿基米德螺线})$$

阿基米德螺线虽然以阿基米德命名, 却不是阿基米德最早发现的. 大约在公元前 260 年左右, 阿基米德的朋友科嫩首先研究了螺线 $\rho = a\theta$. 科嫩死后, 阿基米德对这种曲线继续进行了深入研

图 18　鹦鹉螺

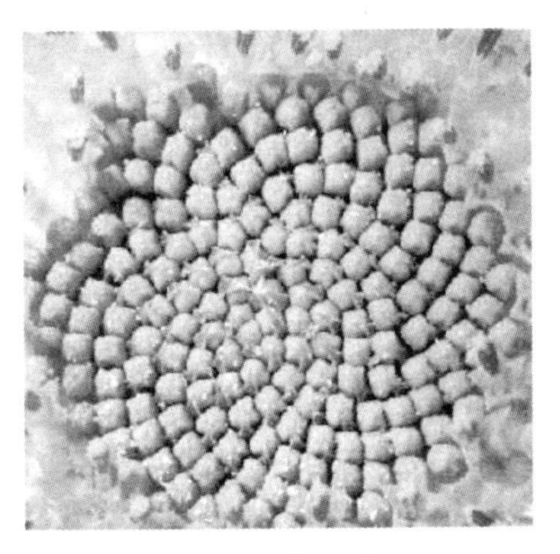

图 19　向日葵

究, 又有许多新的发现, 因而螺线 $\rho = a\theta$ 就与阿基米德的名字联系起来了. 至于对数螺线, 则是由雅各·伯努利进行了深刻研究 (瑞士的伯努利家族是数学史上一个著名的数学家族, 这个家族的三代人中, 出现了八位杰出的数学家. 他们在数学、物理、天体力学等领域都作出过重大贡献) , 雅各死后遵照其遗嘱在他的墓碑上刻有一条对数螺线, 旁边还写道: “虽然改变了, 我还是和原来一样 (Eadem mutata resurgo) !” (图 20) 这句幽默的话语, 既体现了数学家对螺线的偏爱, 也暗示了螺线的某些奇妙性质.

图 20　雅各 · 伯努利墓碑

的确, 螺线具有许多美妙的性质, 比如:

- 对数螺线上任一点处的切线与该点到螺线中心 (极点) 的连线的夹角为定值;
- 无论把对数螺线放大或缩小多少倍, 其形状均不改变;

• 把对数螺线变换成关于极点的反演曲线, 或变换成关于极点的垂足曲线, 所得的曲线仍与原来的曲线全等;

• 当动点 M 沿阿基米德螺线运动时, 极径 OM 每旋转一周, OM 的长度就增加一个定值.

螺线被广泛用于生活的各个领域, 我们不妨看几个例子.

在图 21 中画了很多条对数螺线, 当你凝视图中这些对数螺线, 并用双手把这幅画绕着图的中心逆时针旋转, 你就会觉得图中的对数螺线在放大; 而如果把这幅图绕中心顺时针旋转, 你又会觉得图中的对数螺线在缩小. 在布置科技画廊或商品橱窗时, 可以利用对数螺线的上述性质逼真地表现光芒四射的形象.

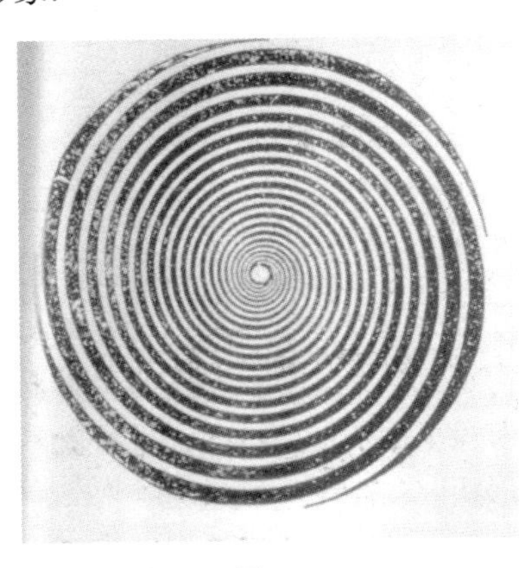

图 21

在金属切削加工时, 刀具和金属工件之间存在着很大的切削力, 所以对刀刃的前后两面与工件表面的夹角都有一定的要求. 特别是一种叫做成型铣刀的旋转刀具 (图 22) , 磨刀时只磨刀齿的前面, 不磨刀齿的背面, 因而对齿背曲线要求更高, 必须使它在每一点的切线都与过该点的半径成定角. 对数螺线正好能满足这个要求. 所以, 成型铣刀的刀齿背面总是做成对数螺线的形状.

图 22　成型铣刀

在生产和生活中我们也可以经常看到阿基米德螺线的身影. 蚊香、唱片中的曲线都是阿基米德螺线; 凸轮的轮廓曲线也做成阿基米德螺线的弧, 这样可以把匀速旋转运动转化成匀速直线运动. 车床上的三爪卡盘里面齿圈上的平面螺纹就具有阿基米德螺线的形状.

5. 摆线

当动圆 C (半径为 r) 沿着定直线 l 滚动 (没有滑动) 时, 动圆周上一点 M 所画出的曲线叫做摆线, 又叫旋轮线 (图 23). 摆线在它与定直线 l 的两个相邻交点之间的部分叫做一个拱，摆线最高点到定直线的距离 $2r$ 叫做拱高.

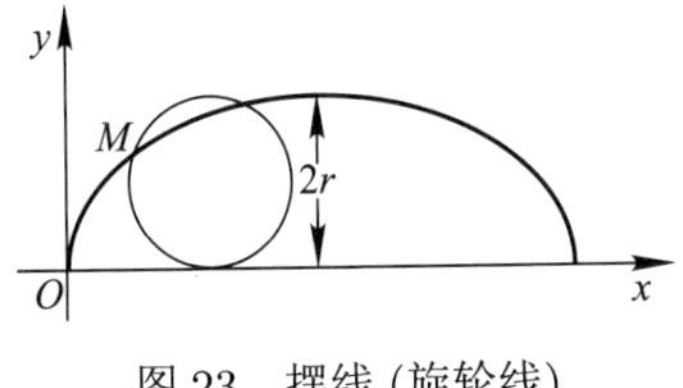

图 23　摆线 (旋轮线)

关于摆线，还有一段不寻常的故事. 原来，在 17 世纪的欧洲数学界盛行一种挑战的风气：一个人公开提出一个或一些数学难题，大家都来做，看谁做得快，做得对，做得好. 1696 年，瑞士数学家约翰 · 伯努利 (也是上文提到的伯努利家族的成员) 提出一个难题向全欧洲的数学家挑战，题目的大意是：设在竖直平面内有一条曲线，一个质点由于重力的作用，从这条曲线的较高的端点沿曲线下滑到较低的端点，问这条曲线是什么形状时，滑行所需的时间最短 (摩擦力和空气阻力都忽略)？这就是著名的“最速降线”问题.

这个问题似乎很简单. 在图 24 中，质点从 O 点滑动到 A 点，你也许会回答：沿斜线 OA 所需时间最短. 因为这样质点经过的路程最短. 但仔细想一下就会发现：现在的问题是所需的时间最短，这不仅与路程长短有关，而且和滑行的速度也有关. 如果沿着斜线 OA 下滑，质点是作匀加速运动，速度缓慢而均匀地增大. 而沿一条曲线下滑，则刚开始滑行也许是一段陡坡，但速度迅速增大，这样，虽然路程长一些, 也许所需时间会更短呢! 由此看来, 这个问题远比想象的要复杂!

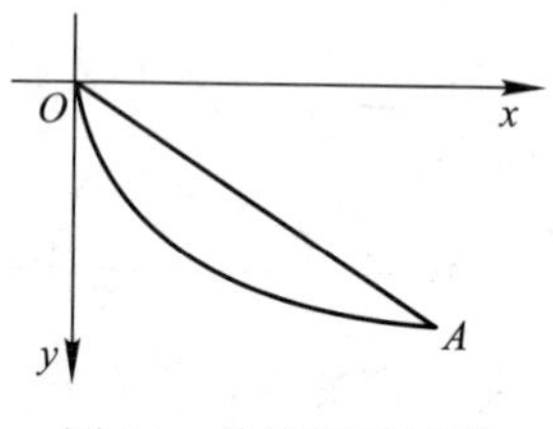

图 24　最速降线问题

让我们作进一步的分析. 在图 24 中, 设 A 点的坐标为 (a,b) , 曲线的方程为 $y=f(x)$, 可以证明, 质点沿曲线 $y=f(x)$ 从 O 点滑动到 A 点所需的时间为

$$T=\int_0^a \frac{\sqrt{1+y'^2}}{\sqrt{2gy}}\mathrm{d}x$$

上述最速降线的问题归结为求满足条件 $f(0)=0, f(a)=b$ 的函数 $y=f(x)$, 使上面的定积分得到的数 T 取得最小值. 这个问题初看上去好像是一个普通的极值问题, 但只要仔细一分析, 就知道它非同寻常. 人们熟知的极值问题, 是函数已经确定, 再求函数的极大值或极小值. 而现在是不知道函数的表达式, 倒过来要求这一函数, 使得整个式子达到极小. 在约翰 · 伯努利所处的时代, 这是一种崭新的问题, 用当时所知道的各种数学工具, 包括微分法在内, 都难以对付这种陌生而复杂的极值问题.

经过一番努力, 这个问题还是有几个人解出来了, 解答者除去挑战人约翰 · 伯努利自己之外, 还有牛顿、莱布尼茨、约翰的哥哥雅各·伯努利, 答案就是: 质点沿摆线弧滑下, 比任何曲线都快!

更为难能可贵的是, 这个问题带来了意外的收获, 那就是在这个解法的基础上, 后来发展出一门非常有用的数学新分支——变分法. 在变分法的教材里可以找到最速降线是摆线的证明.

摆线还有一些奇妙的性质. 比如:

- 等时性

我们来看一个具体的例子. 在图 25 中有一块钢板, 钢板上方有一条光滑的摆线槽. 取一粒适当大小的滚珠, 放在摆线槽的任意位置, 例如图 25 中的 M 点处. 当放开滚珠以后, 滚珠就会像荡秋千一样, 沿着摆线槽来回摆动. 若选择不同的点放开滚珠, 观察滚珠连续两次通过摆线槽最低点 O 的间隔时间, 你就会发现一个奇怪的现象: 尽管 M 点的高低不同, 但是滚珠来回摆动一次所花的时间竟然是一样的! 这个性质就叫做摆线的等时性. 这是在 17 世纪时由荷兰物理学家惠更斯发现的.

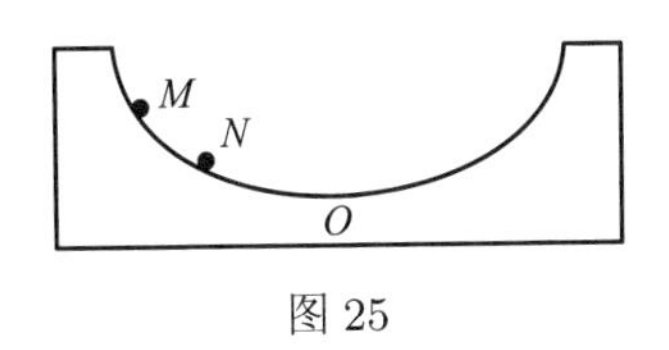

图 25

- 摆线的渐伸线仍然是摆线

如图 26, 木板 OAB 的轮廓线在 OA 的部分是摆线的半拱弧, AB 为拱高. 用一段没有伸缩性的柔软细线绷紧在摆线弧 $\overset{\frown}{OA}$ 上, 把线的一端固定在

O 点, 另一端系一个小环, 用笔尖套在 A 端的小环里拉紧细线, 并且移动笔尖, 使细线从 A 端开始逐渐离开摆线板而伸直, 一直到整个细线刚好完全伸直为止, 这时笔尖画出的曲线弧 $\widehat{AK}$ 称为摆线弧 $\widehat{OA}$ 的渐伸线. 可以证明: 弧 $\widehat{AK}$ 也是摆线的半拱弧, 并且其拱高与原摆线 $\widehat{OA}$ 的拱高相等, 区别只在于 $\widehat{OA}$ 是摆线的前半拱, 而 $\widehat{KA}$ 则是后半拱, 并且位置不同.

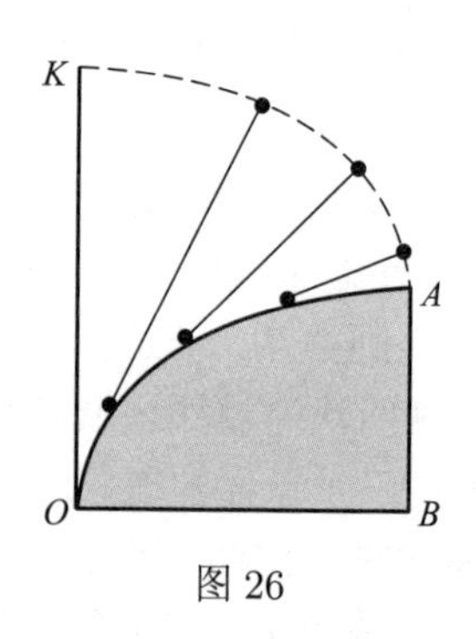

图 26

17 世纪人们使用的挂钟, 起初是把钟摆的摆锤挂在摆杆上, 沿圆弧来回摆动, 由于来回摆动一次所用的时间与摆动幅度有关, 计时就不准确. 能不能设计一种钟摆, 使它每摆动一次所用的时间不受摆幅大小的影响, 始终保持常数呢?

根据摆线的等时性, 只要设法让摆锤沿摆线弧摆动, 就能使摆动周期严格保持一定, 不受摆幅变化的影响. 再利用摆线的渐伸线仍然是摆线的性质, 只要像图 27 那样把摆锤悬挂在长为 $4r$ (摆线半拱的弧长) 的能弯曲但不能伸长的细线上, 悬挂点两边各放一块摆线挡板，使挡板的曲线轮廓是拱高为 $2r$ 的半拱摆线，就能保证摆锤沿着图中虚线所示的摆线弧摆动，无论摆幅大小如何，摆锤沿这摆线弧来回摆动一次所用的时间都是相等的！

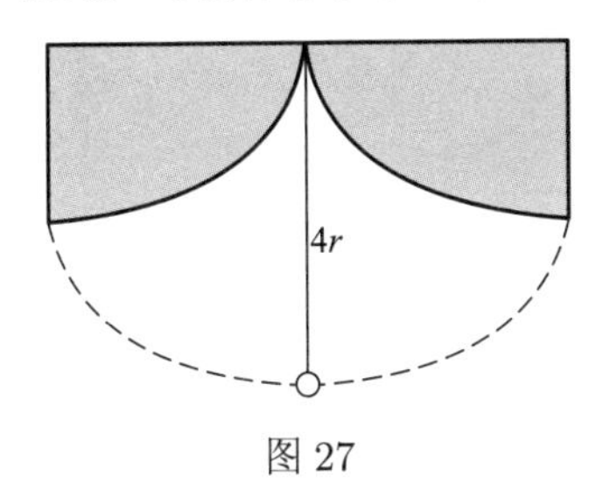

图 27

“摆线”这个名称，正是由于这种曲线被应用于改进钟摆而得来的.

6. 玫瑰线与蝴蝶线

意大利数学家格兰第 (1671—1742) 发现了一种像花朵一样美丽的曲线，叫做玫瑰线. 他在 1713 年写给莱布尼茨的信中，用语言描述了这种曲线的作法.

玫瑰线的方程可以写成

$$\rho = a\sin b\theta$$

其中常数 a 和 b 都是任意正数. 玫瑰线的形状由 b 的数值决定. 图 28 中分别给出了 b=2, 3, 4, 5, 6 时的玫瑰线.

从图中看出，b=3 的玫瑰线有三个花瓣，叫做三叶玫瑰线，而 b=2 的玫瑰线有四个花瓣，叫做四叶玫瑰线.

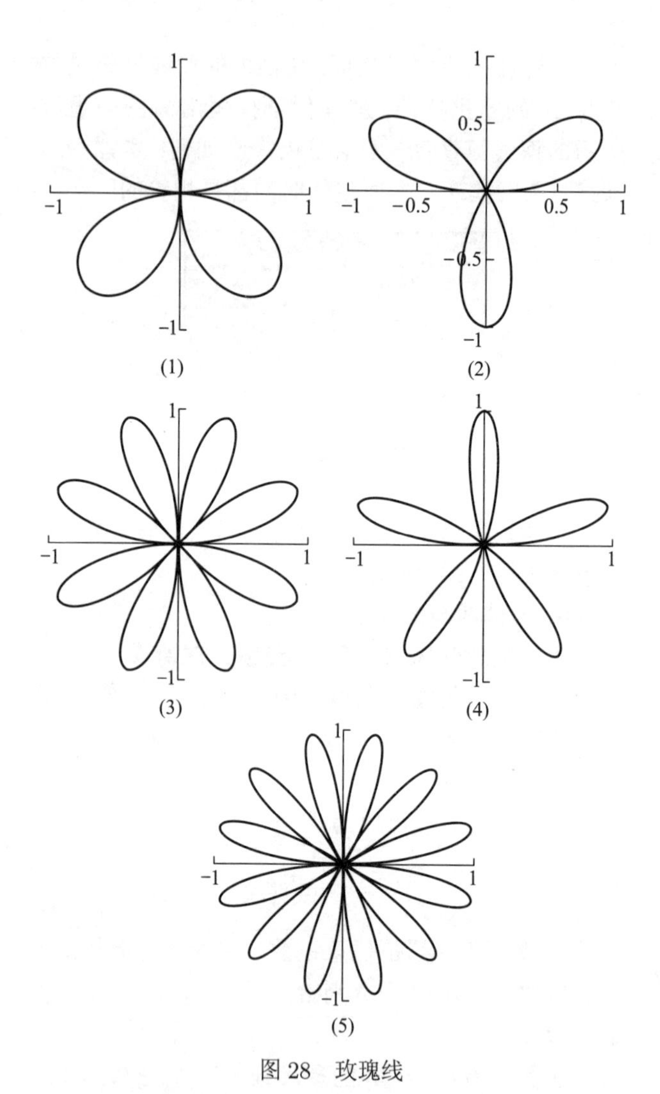

图 28　玫瑰线

玫瑰线的一个花瓣叫做一叶. 常数 b 的数值可以决定玫瑰线的叶数:

若 b 为奇数, 则 $\rho=a\sin b\theta$ 有 b 叶;

若 b 为偶数, 则 $\rho=a\sin b\theta$ 有 $2b$ 叶;

若 b 可化为既约分数 $\dfrac{n}{m}$, 则当 n 和 m 都是奇数时, $\rho=a\sin b\theta$ 有 n 叶, 当 n 和 m 为一奇一偶时, $\rho=a\sin b\theta$ 有 $2n$ 叶;

若 b 为无理数, 则 $\rho=a\sin b\theta$ 有无穷多叶.

无独有偶, 我们还可以给出一种同样美丽的曲线.

由方程

$$\rho=\mathrm{e}^{\cos\theta}-2\cos 4\theta+\sin^3\frac{\theta}{4}$$

给出的曲线称为蝴蝶线 (图 29). 瞧! 它多么像一个翩翩起舞的小蝴蝶!

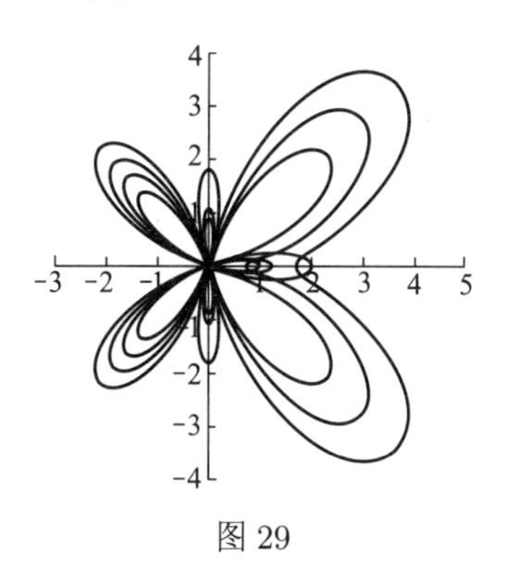

图 29

玫瑰线、蝴蝶线这些曲线反映了自然的美, 而且, 经过抽象以后, 数学表现得比自然界的原型更加理想和完美! 数学一旦反映出自然的本质规律,人们就可以应用它来更有效地利用自然和改变自然. 我们试想: 如果将上述曲线的数学表达式编成计算机程序, 输入到缝纫机的芯片当中, 就可以迅速地自动绘制出美丽的图案. 由此可见数学美的威力!

7. 默比乌斯带与克莱因瓶

拿一张长方形纸条, 其四个顶点依次为 A, B, C, D, 将 A 和 D, B 和 C 重合地粘接起来, 我们就得到了一个普通的具有两个面的曲面 (图 30 (1), (2)). 为了区分这两个面, 我们不妨把朝里的一面涂成黑色, 而朝外的一面涂成白色. 现在, 把纸条从粘接处分开, 扭转 180°, 再使 A 和 C, B 和 D 重合地粘接起来, 我们就得到了一个只有一个面的曲面 (图 30 (3) , (4)). 如果让一只蚂蚁在这种曲面上爬行, 不用绕过曲面的边缘、也不用穿过曲面, 就可以从原来白的一面爬到原来黑的一面, 或者反过来从原来的黑面爬到原来的白面. 19 世纪的德国数学家默比乌斯首先研究了这种曲面的性质, 故这种曲面称为“默比乌斯带”.

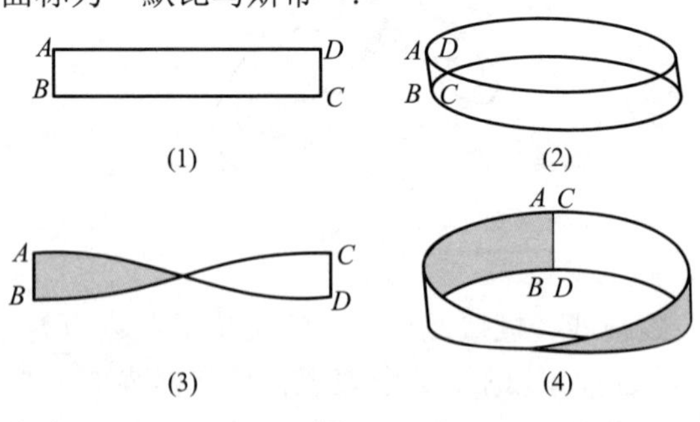

图 30

默比乌斯带刺激着人们的想象, 有许多令人着迷的性质. 下面我们列举几个, 你可以自己动手来验证:

• 将三条宽度相等的纸带合在一起 (中间的一条两面都涂上颜色) , 同时扭转半圈, 然后将它们的端头依次胶结在一起, 这样就变成“三层的默比乌斯带”了. 然而当你松开时, 结果发现是两个环, 一个是涂色的环, 其长度与原默比乌斯带的长度相同, 另一个长度却是默比乌斯带的两倍.

• 取一条宽的纸带, 在它的中央和两侧都涂上一条色带, 色带的宽度为带子宽度的三分之一, 然后将其扭转半圈并将端头胶结在一起, 然后用剪刀沿着色带的两边剪开, 将会得到与前面同样的结果.

• 取两张叠在一起的长方形纸条, 把它们同时扭转半圈, 然后把端头粘在一起, 整个看起来像是两条紧贴在一起的默比乌斯带. 然而当你将手指放在带层中间移动时, 发现它们并非“紧偎”在一起的“双层”圈, 而是一个扭转了四个半圈的环. “双层”默比乌斯带也只有一个边缘, 将双层默比乌斯带沿着它的中间剪下, 结果会得到两个连着的环.

由于默比乌斯带的性质奇特, 故它在工程技术上得到了广泛的应用. 例如: 电话无人自动回答器上的磁带若用默比乌斯带, 磁带的两面都可以自动录音, 与长度相同的普通磁带相比, 其信息存储量可以提高一倍. 又如: 电子计算机中的环形磁芯若扭成默比乌斯带的形状, 其内部磁场的分布就比普通磁芯均匀得多，反复磁化的过程便可以得到加速，从而提高计算机信息的存取效率．再比如：默比乌斯带作为汽车风扇或机械设计的传送带，在磨损和撕裂方面要比传统的传送带表现得更均匀，因而使用寿命更长．

如果将两条默比乌斯带的边缘接在一起，它们将形成著名的克莱因瓶 (图 31)．

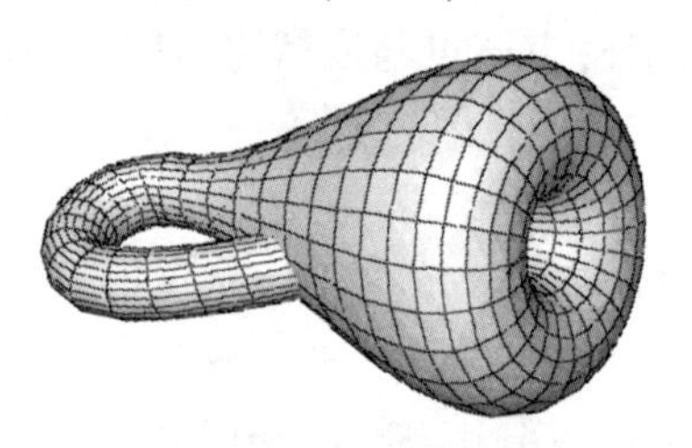

图 31　克莱因瓶

克莱因瓶是由德国大数学家克莱因设计而得名的．克莱因瓶是一个没有“内”“外”之分的封闭曲面，一只蚂蚁可以从图中右侧底面的“外部”爬进克莱因瓶的“内部”．克莱因瓶同样是一个使人着迷的模型．

二、数学美的特征

上面列举的这些例子，使我们初步体验了数学的美．当然，这种美不同于艺术中的美，数学的美有一些特征，主要表现在：对称、和谐、简洁、统一和奇异．

（一）对　　称

对称通常指图形或物体对某个点、直线或平面而言，在大小、形状或排列上具有一定的对称关系．对称在艺术、自然界的例子是屡见不鲜的．从建筑物外形到日常生活用品，从动植物外貌到生物和有机体的构造，从化合物的组成到分子晶体的排列，其中皆有对称．但是，“对称是一个广阔的主题……数学则是它的根本”（著名数学家外尔）．可以毫不夸张地说，对称的概念源于数学（更确切地说是欧几里得几何）并略有拓广，人们常把某些具有关联或对立的概念视为对称．这样，对称便成了数学美的一个重要特征．

数学的对称美主要体现在两个方面.

1. 形式上的对称

比如几何图形的对称性质. 前面已经提到: 圆是对称图形, 关于任何直径都是轴对称的, 关于圆心是中心对称的; 球也是对称图形. 这些图形都给人以美的感受. 再比如一些理论结果, 其形式上也具有很好的对称性质. 请看下面的例子:

- 二项展开式显示出很强的对称形式. 注意到 $\mathrm{C}_n^0=\mathrm{C}_n^n, \mathrm{C}_n^1=\mathrm{C}_n^{n-1}, \cdots$, 就可写出:

$$(a+b)^n=\mathrm{C}_n^0 a^n+\mathrm{C}_n^1 a^{n-1} b+\mathrm{C}_n^2 a^{n-2} b^2+\cdots+$$

$$\mathrm{C}_n^2 a^2 b^{n-2}+\mathrm{C}_n^1 a b^{n-1}+\mathrm{C}_n^0 b^n$$

在这个式子中, a 与 b 的位置交换结果是不变的. 把二项展开式的系数按 $n=1,2,\cdots$ 排列出来就是

$$\begin{array}{ccccccccccc}
 & & & & 1 & & 1 & & & & \\
 & & & 1 & & 2 & & 1 & & & \\
 & & 1 & & 3 & & 3 & & 1 & & \\
 & 1 & & 4 & & 6 & & 4 & & 1 & \\
1 & & 5 & & 10 & & 10 & & 5 & & 1 \\
 & & & & & \cdots\cdots\cdots\cdots & & & & &
\end{array}$$

你可以根据对称性及上排的数字写出下排的数字来, 一直写下去.

- 某些数字运算结果表现出迷人的对称. 请看

$$1\times 1=1$$

$$11 \times 11 = 121$$
$$111 \times 111 = 12321$$
$$1111 \times 1111 = 1234321$$
$$11111 \times 11111 = 123454321$$
$$111111 \times 111111 = 12345654321$$
$$1111111 \times 1111111 = 1234567654321$$
$$11111111 \times 11111111 = 123456787654321$$
$$111111111 \times 111111111 = 12345678987654321$$

- 集合运算中的以下公式是很具对称性的:

$$\overline{A \cup B} = \overline{A} \cap \overline{B}$$

$$\overline{A \cap B} = \overline{A} \cup \overline{B}$$

- 对数运算和指数运算之间有类似的对称关系:

$$\ln\left(\prod_i x_i\right) = \sum_i \ln x_i$$

$$\exp\left(\sum_i x_i\right) = \prod_i \exp x_i$$

2. 内容上的对称

数学上的许多内容都具有一定的对称性, 给人以美的享受. 例如:

- 数学中的种种互逆运算体现出对称关系.

如加法与减法、乘法与除法、乘方与开方、指数与对数、微分与积分等. 这些互逆的运算不仅在一定的条件下可以互相转化, 还具备相互“抵消”的性质.

• 命题变化之中也存在对称关系.

与原命题并存的, 有逆命题、否命题、逆否命题. 原命题与逆命题互逆, 否命题与逆否命题互逆; 原命题与否命题互否, 逆命题与逆否命题互否; 原命题与逆否命题等效, 逆命题与否命题也等效.

• 数学概念的正面说法与反面说法往往是对称的.

比如, 数列极限的定义, 数列 $\{x_n\}$ 当 $n \to \infty$ 时极限为 a 是指: 对于任意给定的 $\epsilon > 0$, 存在正整数 N, 使得当 $n > N$ 时, 恒有 $|x_n - a| < \epsilon$. 而数列 $\{x_n\}$ 当 $n \to \infty$ 时极限不为 a 的定义, 只要将上面定义中的“任意给定”换为“存在”, 将“存在”换为“任意给定”, 将最后的不等号“$<$”换为相反的“$\geqslant$”即可. 即: 存在一个 $\epsilon_0 > 0$, 使得对于任意给定的正整数 N, 总存在一个 $n > N$, 使得 $|x_n - a| \geqslant \epsilon_0$.

(二) 和　谐

美是和谐的, 和谐性也是数学美的特征之一. 和谐即严谨、雅致以及形式结构的无矛盾性.

数学的和谐美首先表现在具有内在结构的协调. 在这方面最突出的例子是欧几里得几何. 公元前 3 世纪的希腊数学家欧几里得用很少的原始概念和不加证明的公理作为基础, 运用演绎推理的方法将当时所知的几何学知识全部推导出来，形成数学史上的重要著作《几何原本》．他把几何学知识按公理系统的方式安排，使得反映各项几何事实的公理和定理都能用论证串联起来，组成一个井井有条的有机整体，显得非常和谐．

数学的和谐美还表现在外在形式的匀称．在前面列举数字与几何的美的例子中，完满数具有的奇妙性质、幻方中蕴含的数字奥秘、将五个数学常数联系在一起的欧拉公式、各种黄金分割图形，等等，无一不让人深切体会到数学在形式上的美妙与和谐．

（三）简　洁

简洁本身就是一种美．自然界中许多现象都是简洁的．现实世界中光沿直线方向传播，这是光传播的最短路线；某些攀援植物如藤类，绕着依托物螺旋式地向上延长，它们所选的螺线形状对于植物上攀路径来讲是最省的．

这些最佳、最好、最省的事实，来自生物的进化与自然选择，然而它们同时展现了自然界的简洁．宇宙万物如此，作为描述宇宙的文字与工具的数学也是如此．

数学的简洁有许多表现．

1．数学符号的简洁

三百五十四，用阿拉伯数字表示是 354，它与一个两位数 67 相乘，这是小学生都会做的，但是如果没有阿拉伯数字, 做起来那就不是一件简单的事情了. 5 个 11 相乘, 当然可以写成 $11 \times 11 \times 11 \times 11 \times 11$, 但是 11^5 却要简洁多了. 至于 P_n^k 和 C_n^k 的含义则是中学生都明白的, 而如果用语言来叙述, 则要说很长一段话才行. 如果没有 C_n^k, 二项式定理写起来也会很繁琐.

2. 研究方法的简洁

数学简洁性在其独特的研究方法中有许多体现. 比如:

- **前提的精炼**

人们总是力求用最少且最简单的前提条件得到所要的结论. 被世人称为公理化典范的欧几里得几何用五个公设、五个公理及二十三个定义推出了数百个命题, 建立了宏伟的理论体系, 作为现代数学基础的集合论也是如此.

- **过程的简单**

对命题的证明人们总是追求严谨而简练. 在数学发展过程中不乏这样的例子: 人们对某些命题的证明不断进行改进, 使其越来越简洁. 类似地, 人们也在不断地探索计算方法的创新, 使计算尽量便捷、明快. 由加法到乘法和乘方再到对数的发明就是不断追求简便的计算方法的明证.

- **结论的概括**

数学中的许多结论 (尤其是公式) 都是很简洁的, 给人以美的享受. 不仅如此, 数学语言以其独特的简洁和精确而成了科学语言的基础. 现代物理学离开了数学语言, 就无法表达自己. 爱因斯坦的狭义相对论很深奥, 但是它的威力用一个数学公式 $E = mc^2$ 表示却又是那样的简洁. 就是这个简洁的公式, 指导着多年的实验, 为人类开发了新的能源——核能.

总之, 无论是前提, 还是推理或计算的过程乃至最终的结论, 简洁性是数学的一个重要特征. 正如牛顿所说: 数学家不仅更容易接受漂亮的结果, 不喜欢丑陋的结论, 而且他们也非常推崇优美与雅致的证明, 而不喜欢笨拙与繁复的推理.

(四) 统　一

所谓统一性, 就是部分与部分、部分与整体之间的协调一致. 客观世界具有统一性, 数学作为描述客观世界的语言必然也具有统一性. 统一性是数学美的一个重要特征. 数学的统一美主要表现在以下几个方面:

1. 共同的基础

经过数千年的发展, 数学如今已经成长为一棵枝繁叶茂的参天大树. 数学是由众多的分支学科构成的, 这些分支学科好比一棵大树的树干和树叶. 数学的各个分支都有着共同的基础, 仿佛大树的根基. 在这个意义上说, 数学是统一的. 毕达哥拉斯学派认为宇宙统一于"数"(指的是正整数), 现在看来整数的确是各种数的基础. 众所周知, 康托尔在 20 世纪初创立的集合论, 经过不断完善, 至今已成为整个现代数学的共同基础. 数学具有的共同基础反映了数学统一美的本质.

2. 广泛的联系

正是因为具有共同的基础, 数学的各部分内容存在着广泛的联系. 比如在微积分中涉及四个基本公式: 牛顿 – 莱布尼茨公式、格林公式、高斯公式、斯托克斯公式, 每个公式都刻画了不同类型的积分之间的联系, 且可以用外微分形式写成一个统一的形式; 欧拉公式 $e^{i\pi}+1=0$ 将数学中 5 个最常用的常数 1, 0, i, π, e 联系了起来; 笛卡儿创立的解析几何建立了代数与几何的联系, 使人们可以用代数的方法研究几何问题, 等等. 数学的广泛联系是数学统一美的进一步的表现.

3. 高度的抽象

抽象性是数学这门科学的一个最基本、最显著的特点. 所谓抽象, 就是把不同对象中共同的、本质的东西加以概括, 作为高一层次的对象加以研究. 抽象和统一是一个完整概念的两个方面. 为了统一必须抽象, 有了抽象才能统一, 并且还扩大了范围. 一个最简单的例子就是各种算术应用问题可用代数统一起来, 掌握算术的最好办法就是学会代数. 抽象化是数学的统一美的进一步发展. 特别是现代数学, 其抽象化的进度正在大大加快. 以代数学科的发展为例, 算术的发展有几千年, 进入以解一次、二次方程为主的小代数发展也近千年, 16—19 世纪初发展了以方程式论为中心的大代数, 19 世纪以来约百年之久发展了研究代数结构的高等代数, 20 世纪 20 年代开始发展了研究各种代数系统的抽象代数, 20 世纪 40 年代以后又出现了以一般代数系统为研究对象的泛代数, 抽象化的进度越来越快.

(五) 奇　异

奇异性是数学美的一个重要特征. 数学中有许多奇异现象, 有些是人们没有认清事物本质而作出的错误判断, 有些则是有悖于通常认识的结论. 数学的奇异美的特征来源于其思想的独创性及方法的新颖, 富有独创性是数学理论的生命力所在, 也是审美价值所在. 由于奇异往往与人们的想象与期望相反, 因此就更能引起人们的关注与好奇.

让我们来看一些例子.

(1) 在数学中有许多著名的反例, 这些反例或出乎人们的意料或与通常的认识相反, 因而能发人深省, 甚至促进了数学的发展. 比如著名的狄利克雷函数:

$$D(x)=\begin{cases}0, & x\text{为无理数}\\ 1, & x\text{为有理数}\end{cases}$$

该函数有一系列奇异的性质: 没有解析表达式, 没有最小正周期, 在任何区间内不单调, 在任何一点处不存在极限, 在任何一点处不连续, 在任何闭区间上黎曼意义下不可积, 等等. 这些古怪的性质不仅吸引了人们的注意力, 而且加深了人们对概念的理解, 使数学的理论更加完善. 再比如全世界很有影响的两份杂志曾联合邀请全世界的数学家们征集“近五十年的最佳数学问题”，评选结果中有一道相当简单的数学问题: 有哪些形式为 ab/bc 的分数，不合理地把 b 约去得到 a/c，结果却是对的？经过简单的计算，可以找到四个分数: 16/64, 26/65, 19/95, 49/98. 这种“歪打正着”，在给人惊喜之余，不也展现了一种奇异美吗？

(2) 数学中的一些理论的提出也出乎人们的意料，充分反映了数学家超乎寻常的创造性和思维能力.

这方面的典型例子是对无限的认识. 人们对无限的认识源远流长，无限和无限集合，从古希腊时代起就引起了许多数学家和哲学家的注意，到康托尔之前，基本上是“潜无限”的观点占上风. 所谓潜无限是指把无限看成一个永无终止的过程，认为无限只存在于人们的思维中，只是说话的一种方式，不是一个实体. 而“实无限”则把无限当作一个实体、一个实实在在的概念. 形象地说，潜无限是“没完没了”的，而实无限是“一览无余”的. 无限数列 $a_1, a_2, \cdots, a_n, \cdots$ 是潜无限，区间 [0, 1] 中的全部实数则属于实无限.

在对无限的认识过程中，人们曾遇到许多“怪异”的现象. 比如: 中世纪有人注意到了两个半径不等长的同心圆上的点，可以通过由圆心出发的射线建立一一对应关系 (如图 32)，但两个圆周却不等长. 伽利略讨论了更多的无穷集合一一对应的例子，如两条不等长的线段上的点可以建立一一对应 (如图 33)，正整数可以和它的平方数构成一一对应, 等等. 这些都与“全体大于部分”这一欧几里得几何公理相矛盾, 从而使人们感到困惑.

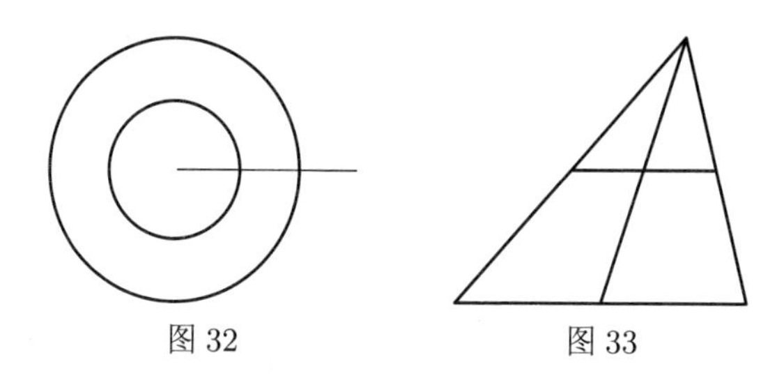

图 32　　图 33

波尔查诺是第一个为建立集合的明确理论作出努力的人. 在《无穷的悖论》(1851) 中, 他维护了实无穷集合的存在, 并且强调了两个集合等价的概念 (后来叫做两个集合的元素之间可一一对应). 这个等价概念, 适用于有限集合, 也适用于无穷集合. 他注意到在无穷集合的情形, 一个部分或子集可以等价于整体, 并坚持必须接受这个事实. 康托尔 (图 34) 对无限问题进行了深入研究并取得了圆满成功. 他大胆排除传统的世俗偏见, 勇敢地认为整体与部分建立一一对应不是矛盾, 而是奇特. 他预见到, 无限集合将遵循新的不适合有限集合的法则, “整体与部分对等”在有限集合中是错误的, 属于反常, 但在无限集合中却是正确的, 属于正常. 康托尔总结了前人研究无限集合的历史经验, 利用一一对应这一有效工具, 深刻地指出: 如果一个集合能够和它的一部分建立一一对应关系, 它就是无限的. 两个能够一一对应的集合称为等价的, 等价的集合具有相同的“势”. 他把与正整数集等价的集合称为可数集, 而实数集是不可数集, 并由此得出了许多“不可思议”的结论, 比如: 一条直线上的点不仅和平面上的点“一样多”, 而且竟和整个 n 维空间 $\mathbf{R}^n$ 上的点“一样多”.

图 34　康托尔

康托尔创立的集合论给数学发展带来了一场革命. 由于他的理论超越直观, 所以曾受到当时一些大数学家的反对, 就连被誉为“博大精深、富于创举”的数学家庞加莱也把集合论比作有趣的“病理情形”. 康托尔的老师克罗内克甚至讥讽他是“神经质”, “走进了超越数的地狱”. 对于这些非难和指责, 康托尔仍充满信心, 他说: “我的理论犹如磐石一般坚固, 任何反对它的人都将搬起石头砸自己的脚. ”他还指出: “数学的本质在于它的自由性, 不必受传统观念束缚. ”

真理是不可战胜的, 也有许多卓越的数学家深为康托尔首创的集合论所起的作用而打动, 1897 年在苏黎世举行的第一届国际数学家大会上, 赫尔维茨与阿达马这两位数学家站出来指出了康托尔集合论中超限数理论在分析学中的重要应用. 希尔伯特, 也是最支持康托尔理论的数学家之一, 曾大声疾呼: “没有人能把我们从康托尔为我们创造的乐园中赶走.”

康托尔的集合论是自古希腊时代以来两千多年里, 人类认识史上第一次给无穷建立起抽象的形式符号系统和确定的运算, 并从本质上揭示了无穷的特性, 使无穷的概念发生了一次革命性的变化, 从根本上改造了数学的结构, 促进了数学许多新的分支的建立和发展, 成为实变函数论、代数拓扑、群论和泛函分析等理论的基础, 同时也给逻辑学和哲学带来了深远的影响.

三、数学美的作用

以上我们认识了数学美的种种表现，又考察了数学美的一系列特征，从中可以看到：数学的确蕴藏着无尽的魅力．下面我们再来谈一谈数学美的作用．对此，我们从两个方面来说明．

(一) 对数学美的追求推动了数学的发展

经过了漫长的岁月，数学至今已发展成为包含许多分支的宏大的理论体系，在人类文明进程中发挥着重要的作用．尽管有多方面的动因，但数学发展的历史表明：对数学美的追求是推动数学不断发展的一个重要因素．前面曾将数学美的特征归纳为对称、和谐、简洁、统一、奇异五个方面，下面我们就这五种特征，列举一些例子，看一看人们是如何在追求数学美的过程中推动数学的发展的．

对称　对称是数学美的一个重要特征．对称美常常引导人们在原来结果的基础上进一步思考新的问题, 从而导致新的结论. 比如数学运算的对称性, 加法的逆运算是减法, 人们最初认识的是正整数, 任何两个正整数相减可能不再是正整数, 由此产生了负数; 乘法的逆运算是除法, 任何两个整数相除 (分母不为零) 可能不再是整数, 因而引入分数就成为必要的了; 乘方的逆运算是开方, 任何有理数的方根可能不再是有理数, 由此促使人们引入无理数, 等等. 从中不难看出: 基于对称性的考虑, 出于逆运算的需要, 促进了数的产生与扩展. 再比如大家在高等数学中熟悉的, 导数的逆运算导致了原函数以及不定积分的概念.

和谐 为了追求和谐, 数学家们一直在努力, 以消除其中不和谐的东西. 数学史上被称作"数学危机"的现象正是由于某些数学理论不和谐所致. 但通过消除这些不和谐, 反过来也促进了数学本身的进一步发展.

古希腊毕达哥拉斯学派认为: 宇宙间一切现象都能归结为整数或整数之比. 但下面的问题却使得当时在数的认识上产生了疑惑: 两直角边长都是 1 的直角三角形斜边长是几? 依照该学派的观点, 它的长应当是形如 m/n 的数, 但根据毕达哥拉斯定理 (勾股定理) , 将会导出矛盾, 从而动摇了毕达哥拉斯学派的理论根基, 史称数学的第一次危机. 但这却导致一类新数——无理数的发现.

17 世纪牛顿和莱布尼茨分别发明了微积分. 但是人们对于其中的基础问题却存在极大的争议. 以求速度为例: 瞬时速度是 $\Delta s/\Delta t$ 当 Δt 变成 (趋向

于) 0 时的值, 但 Δt 是什么? 是 0, 还是很小的量? 这种争论引出第二次数学危机. 经波尔查诺、阿贝尔、柯西、狄利克雷、魏尔斯特拉斯、戴德金和康托尔等人近半个世纪的工作, 把微积分建立在极限的基础上, 从而克服了危机和矛盾, 与此同时建立了实数理论, 从而导致了集合论的诞生.

《几何原本》两千多年来一直被认为是完美的, 然而后来人们发现: 欧几里得几何中的第五公设 (平行公设) 在证明《几何原本》中前 28 个命题时均未用到, 这使人们产生疑问: 第五公设是否多余? 换句话说, 它是否可由其他公理、公设证明? 很长一段时间里人们试图证明这一点, 但不幸都失败了. 高斯首先意识到: 用欧几里得其他公设证明平行公设是办不到的事. 后来, 俄国学者罗巴切夫斯基 (图 35) 选取与平行公设相矛盾的其他公设, 建立起了逻辑上无矛盾的几何学——罗巴切夫斯基几何学 (非欧几何学). 后来, 德国数学家黎曼建立了一种更广泛的几何, 即现在所称的黎曼几何. 经过意大利数学家贝尔特拉米、德国数学家克莱因和法国数学家庞加莱等人的工作, 非欧几何才真正获得了广泛的理解.

简洁 数学中人们对于简洁的追求是永无止境的. 数学语言和数学符号就是追求简洁的产物. 在数学的发展过程中, 人们不断致力于数学语言和符号的简化, 用一些简单的、基本的词汇、符号, 尽量包含更多的信息, 刻画复杂的数学规律. 利用现代数学的外微分形式得到的广义斯托克斯公式

图 35　罗巴切夫斯基

$$\int_{\partial V}\omega=\int_V \mathrm{d}\omega$$

只用九个字符, 却把微积分中的牛顿 – 莱布尼茨公式、格林公式、高斯公式、斯托克斯公式这一系列的基本公式都作为其简单特例而统一起来了. 广义斯托克斯公式内容极为丰富, 它适用于任何高维的空间和一般的流形, 而其形式又特别简单, 成为追求简洁美的范例.

人们对数学的简洁的追求是多方面的, 不仅表达要简洁, 证明和计算也要简洁. 威沙特分布是多元统计分析中的一个重要分布, 其密度函数的推导自然成为了人们热衷研究的课题. 在多元统计分析发展的初期, 人们给出了十几种不同的推导方法. 我国著名统计学家许宝騄先生 (1910—1970) (图 36) 运用分析和矩阵相结合的技巧给出了一个数学归纳法的证明, 仅用了一页纸. 许先生给出的方法被认为是各种推导方法中最优美的. 他还用类似的方法, 导出了多元统计分析中著名的巴特利特分解. 许宝騄先生的这些开创性工作推动了矩阵论在多元分析中的应用, 也对矩阵论本身的技巧有所发展. 追求初等而简明的方法是许宝騄先生一贯的追求, 他的论文有的长达几十页, 有的短到一页多一点, 都是以解决问题为目的, 朴实无华, 简明扼要. 他一生正式刊出的论文在生前只有 30 多篇, 然而其中绝大部分都是很有分量的工作. 他的这种学术风格以及他在多元统计分析和概率论等方面的贡献赢得了世人的尊重.

图 36　许宝騄

为了纪念他,《统计学年鉴》(Annals of Statistics) 1979 年曾约请国际上知名的专家学者撰文介绍他的生平和他在科学研究中取得的杰出成就. 1981 年和 1983 年, 科学出版社和施普林格出版社曾分别出版了《许宝騄文集》和《许宝騄选集》. 施普林格出版社在书评中有这样一句话: 许宝騄被公认为在数理统计和概率论方面第一个具有国际声望的中国数学家. 他的画像至今悬挂在斯坦福大学统计系的走廊上，与世界著名的统计学家并列.

统一 统一性不仅是数学美的特征，而且也是数学家们所努力追求的目标之一. 对统一性的追求不但可以使人把握整体，而且也能把握细节，同时还可以在此基础上产生伟大的发现.

经过长时期的演变，几何学被分成许多学科，每个学科都独立地不断发展着. 德国数学家克莱因对各种几何 (欧氏几何、仿射几何、射影几何) 的统一进行了深入研究后，提出了著名的“埃尔兰根纲领”，指出：各种几何所研究的事实上都是某种变换群下的不变量. 这样，各种已知的几何理论在变换群的概念下得到了统一. 克莱因的埃尔兰根纲领及其思想不仅在几何学的发展中是一个划时代的贡献，而且它还进一步导致了诸如拓扑变换下的不变性、不变量等研究方向以及一些新学科的诞生.

在数学发展的历史长河中，法国布巴基学派的工作是数学家对数学统一性的追求的一个里程碑. 该学派的基本信念是对于数学统一性的确信. 为了揭示数学的统一性，他们首先引进了结构的概念，所谓数学结构是指由遵从一些公理的集合和映射所组成的系统；其次，他们力图用结构的概念来揭示数学的统一性. 通过对各种具体的数学理论的分析，布巴基学派指出，数学中的各种结构组成了一个完整的“谱系”，其中，代数结构、拓扑结构和序结构是三种最基本的结构，也即“母结构”. 在上述母结构中再补充几条公理，又可得到一些子结构，经过结合，又可得到一些复合结构. 他们企图由此演绎出全部的数学. 他们的巨著《数学原理》已出版十卷, 近五十分册, 共计七千多页. 布巴基学派的工作对数学的现代发展有很大的影响, 它不仅仅极大地丰富了数学的内容, 开辟了新的研究方向, 而且也导致了数学观的现代演变. 由此可见追求统一性的努力对于数学发展的重大意义.

奇异 数学中不少结论奇妙无比, 令人赞叹, 正是因为这一点数学才有无穷的魅力. 在数学发展史上, 正是数学自身的奇异性的魅力, 不断吸引着数学家向更新、更深的层次探索.

勾股定理是欧几里得几何中一个重要的定理, 这个定理用代数式可简单地表示为

$$c^2 = a^2 + b^2$$

人们把满足上式的正整数 a, b, c 称为勾股数组, 比如 3, 4, 5 便是其中的一组. 勾股数组有无穷多, 事实上, 若设 m, n 是正整数, $m > n$, 不难验证

$$a = 2mn,\ \ b = m^2 - n^2,\ \ c = m^2 + n^2$$

是勾股数组. 人们自然容易想到: 有无正整数 a, b, c 满足 $c^3 = a^3 + b^3$? 或者一般地, 有无正整数 a, b, c 满足 $c^n = a^n + b^n$? 这里 n 是大于 2 的整数.

1637 年前后, 费马在古希腊数学家丢番图的著作《算术》中关于毕达哥拉斯三元数组一节的空白处写道:

“一个立方数不能分拆为两个立方数, 一个四次方数不能分拆为两个四次方数, 一般说来, 除

平方之外, 任何次幂都不能分拆为两个同次幂. 我已找到了一个奇妙的证明, 但书边空白太窄, 写不下.”

费马的这段话即是说, 方程 $c^n = a^n + b^n$ 在 $n > 2$ 时没有正整数解. 1665 年费马去世, 他的长子塞缪尔花了 5 年时间收集他父亲的注记和信件, 于 1670 年出版了附有费马评注的丢番图的《算术》的特殊版本. 从此, 费马的上述论断广为传知, 并被人们称为“费马大定理”.

这段迷人的话语吸引了无数著名的数学家. 数学大师欧拉于 1753 年宣布他证明了 $n = 3$ 时费马大定理成立, 其证明于 1770 年发表在他的《代数指南》一书中; 1823 年左右, 法国数学家勒让德和德国数学家狄利克雷分别独立地证明了 $n = 5$ 的情形; 1844—1847 年间德国数学家库默尔对某些更高次幂的情况进行了证明. 这个貌似不很困难的问题曾令不少人跃跃欲试. 法国科学院曾于 1816 年和 1850 年两度以 3000 法郎悬赏猜想的证明者. 人们也曾怀疑当年的费马是否真的找到了这个证明.

1983 年, 德国一位年仅 29 岁的大学讲师法尔廷斯在证明这个猜想上取得了突破性的进展, 为此他获得了 1986 年度数学最高奖——菲尔兹奖. 1993 年夏, 数学家怀尔斯经过七年潜心研究, 终于在剑桥大学的学术报告会上宣布他已证得费马猜想, 可是人们发现他的报告中存在漏洞. 沉寂一年后, 1994 年 10 月 25 日, 怀尔斯和他的学生泰勒修补了上述文章的缺陷. 次年 5 月美国《数学年刊》

全文刊出了他们的论文, 至此宣告: 困扰人们三个多世纪的费马大定理被攻克. (关于费马大定理的证明历程可参阅周明儒著《费马大定理的证明与启示》, 该书介绍了费马大定理自提出至彻底解决的 358 年间发生的一些生动故事以及给予我们的启示.)

费马大定理容易理解、貌似简单, 证明却异常艰深, 由此而产生的方法和技巧更是出人意料. 所有这些足以看出数学的奇异产生的魅力.

关于费马大定理的证明对数学发展的推动, 我们在这里引用一个趣闻. 在寻求费马大定理的证明过程中, 希尔伯特曾宣称, 他能解开这一猜想, 但由于在求解过程中给数学发展创造了不少新的途径, 他说: “我应当更加注意, 不要杀掉这个经常为我们生出金蛋来的母鸡. ” 希尔伯特是否可以证明费马大定理, 我们不得而知. 但是, 探索费马大定理的证明是“产生金蛋的母鸡”之说, 却是颇有一点道理的. 它给整个数学带来了巨大财富, 促进了代数数论和算术几何的建立, 还发展了一系列先进的数学技术, 形成了现代数论无尽的前沿.

谈到数学的奇异性, 人们也许自然会想到代数方程求根的问题. 1799 年, 德国数学家高斯证明了代数学基本定理, 代数方程根的存在性已毋庸置疑, 但是要具体找到它们却远非易事.

对于一元二次方程, 早在 9 世纪花拉子米便给出了求根公式. 一元三次方程的解法较复杂, 公元 4 世纪, 希腊人已知道某些特殊的一元三次方程的解法, 但一般一元三次方程的求根公式则是 1545 年意大利的卡尔达诺在他的《大术》一书中给出的. 而后卡尔达诺的学生费拉里给出了一元四次方程的求根公式.

人们希望能循着二次、三次、四次方程的成果去寻找 $n(n \geqslant 5)$ 次方程的求根公式, 然而事与愿违, 经过许多数学家两百多年的努力, 结果仍然渺茫.

1824 年, 年仅 22 岁的挪威数学家阿贝尔总结了前人的教训, 在拉格朗日、鲁菲尼等人的成果基础上证明了一般五次和五次以上代数方程的解不能用根式给出. 在这一工作中, 他实际上引进了"域"这一重要的抽象代数概念, 虽然他没有这样来称呼.

阿贝尔关于代数方程的工作只是证明对于一般的五次和五次以上方程不可能有根式解, 但并不妨碍人们去求一些特殊的代数方程的根式解. 那么, 什么样的方程能够用根式求解呢? 这个问题稍后被一位同样年轻的法国数学家伽罗瓦解决, 他在 1829—1831 年间完成的几篇论文中建立了判别方程根式可解的充分必要条件, 从而宣告了方程根式可解这一经历了三百年的难题的彻底解决. 伽罗瓦在解决这一难题中提出的群的概念导致了代数学在对象、内容和方法上的深刻变革, 由此开辟了抽象代数这一崭新学科.

回顾这段历程不难看出: 正是两位年轻的数学家阿贝尔和伽罗瓦突破陈规, 另辟蹊径, 才导致了代数方程求根问题的彻底解决, 这就是数学的奇异性产生的作用.

(二) 数学美的威力促进了数学的应用

数学美有着迷人的魅力, 吸引着众多数学家为之奋斗, 激起了无数爱好者的热情. 值得指出的是: 数学美不仅具有欣赏的价值, 而且还具有方法论的价值. 马克思深刻地指出: 人是按照美的规律来造就东西的. 数学美是自然美在人类精神上的反映, 是人类智慧的结晶. 数学美有着巨大的威力, 它给人以思维的启迪, 促进了数学的应用.

说到数学美的威力对数学应用的促进, 最值得一提的例子莫过于黄金分割了. 当初人们之所以珍视黄金分割与黄金分割比, 主要在于其美学上的价值. 然而, 黄金分割的优美性质使其出现在许多领域, 大大推进了数学的应用. 前面我们已经列举了黄金分割在建筑、绘画以及日常生活中的一些应用. 下面我们再介绍黄金分割在工农业生产中的应用.

在科学实验和生产实践中, 人们常常要通过试验对各种有关的条件进行选择, 以便达到省时、省料、省钱的目的. 为了尽可能减少试验, 而又能尽快选择出达到预期结果的最佳条件, 人们创造了许多强有力的数学方法, 优选法 (又称 0.618 法) 就是其中较为广泛应用的一种方法. 关于优选法的原理和步骤, 读者可参看李大潜院士所著《黄金分割漫话》. 这里列举一个应用优选法的实例.

某种可以提高人工栽培蘑菇产量的植物生长激素, 如果喷施浓度过低, 则增产效果并不明显; 如果喷施浓度过高, 又会抑制蘑菇生长, 反而引起减产; 只有当喷施浓度恰到好处时, 才能达到最高的增产效果.

如果已知浓度超过 1% 时, 蘑菇就要减产, 那么我们就应在 0~1 的范围内对最佳浓度进行优选. 如何找最佳的浓度呢? 我们按照下面的方法选取 (见图 37) :

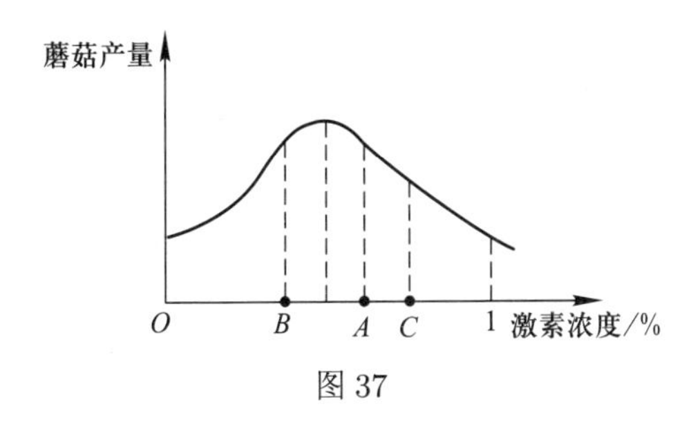

图 37

第一个试验点 A 取在试验范围 0~1 的 0.618 处 (即按 0.618% 的浓度喷施) , 第二个试验点 B 则取在与第一个试验点 A 关于试验范围中点对称的 0.382 处 (即按 0.382% 的浓度喷施). 假如 A 点增产效果比 B 点好, 则最佳点必在 B ~1 这段范围内, 因此保留 $B\sim 1$, 而去掉 0~ B (否则, 就保留 0~ A 而去掉 A ~1) ; 第三个试验点 C 又取在 B ~1 这段范围的 0.618 处 (即按 $((1+0.382)\times 0.618)\% \approx 0.854\%$ 的浓度喷施)，若 A 比 C 好, 则去掉 $C\sim 1$ 而保留 $B\sim C$; 若 C 比 A 好, 则去掉 $B\sim A$ 而保留 $A\sim 1$. 如此继续下去, 每次都保留"好点"所在的一段, 去掉"坏点"所在的一段, 新的试验点都取在所保留的那段范围的 0.618 处. 由于最佳点始终在保留段上, 而保留段的范围又越来越小, 这样就可以使我们经过若干次试验后, 至少找到一个与最佳点十分接近的较好的喷施浓度.

可以证明, 上面的选取方法所做的试验次数最少. 由于每次取试验区间的 0.618 处做试验, 因此这种方法也称为"0.618 法". 0.618 法由美国数学家基弗 (Kiefer) 于 1953 年首先提出, 后来我国著名数学家华罗庚教授在 20 世纪六七十年代在全国大力提倡和推广, 取得了很好的效果.

0.618 这个黄金分割比能产生优选法, 并能取得良好的效果, 这告诉我们: 美的东西与有用的东西之间常常是有联系的.

麦克斯韦建立电磁学理论的例子是数学美的威力的又一个明证. 19 世纪 30 年代, 英国物理学家法拉第发现电与磁可以互相转化. 由于未能用数学形式把电磁场理论表达出来, 他的理论没有为当时大多数人所理解. 法拉第的研究工作最后由英国物理学家麦克斯韦所完成. 麦克斯韦比较擅长数学, 他用数学方法对法拉第的思想进行了分析、整理和推广, 把电磁学中一系列基本定律表述成了一组偏微分方程组

$$\begin{cases} \text{div}\ \boldsymbol{E} = Q & (1) \\ \text{div}\ \boldsymbol{H} = 0 & (2) \\ \textbf{rot}\ \boldsymbol{E} = -\dfrac{1}{c}\dfrac{\partial \boldsymbol{H}}{\partial t} & (3) \\ \textbf{rot}\ \boldsymbol{H} = \dfrac{1}{c}\dfrac{\partial \boldsymbol{E}}{\partial t} + \dfrac{1}{c}\boldsymbol{J} & (4) \end{cases}$$

前面三个方程都是根据实验结果总结出来的，并且 (1) 与 (2) 对称；如果没有方程 (4)，孤立的方程 (3) 就显得很不协调，从数学形式的优美与对称考虑，麦克斯韦大胆地假设了方程 (4). 方程 (4) 意味着不但磁场的变化能够产生电场，反过来，电场的变化也能产生磁场. 如此不断循环，电磁场就波动地辐射开了. 据此，麦克斯韦预言了电磁波的存在! 麦克斯韦还从上述偏微分方程组出发，推导出了电磁波的波动方程，发现电磁波以光速传播. 于是麦克斯韦又断言：光也是一种电磁波! 约 30 年后的 1887 年，德国物理学家赫兹用实验证实了麦克斯韦预言的电磁波，光也是一种电磁波的论断后来也被证实. 法拉第对麦克斯韦的成就无比欣慰之余，赞叹地说："数学的魅力竟与此有这样密切的关系，实在令我吃惊，想不到数学有这样大的用处."

物理巨匠爱因斯坦的科学研究也从数学美中受益匪浅，他认为：理论科学家在探索理论时，就不得不愈来愈从纯粹数学的形式考虑. 爱因斯坦上大学时，曾在一定程度上忽视了数学. 他在《自述》中反省道："我天真地认为，对于一个物理学家来说，掌握好基本的数学概念就足够了. 我认为数学里其余的部分对于认识自然是并不重要的奢侈品. 这个错误, 后来我只好痛心地承认了. ”后来, 爱因斯坦在创立广义相对论的过程中, 长期未能取得根本性突破的主要原因之一就是缺乏必要的数学工具. 格拉斯曼的著作帮助他掌握了后来成为广义相对论数学基础的黎曼几何和张量分析, 使他终于在经过艰苦的摸索后打开了广义相对论的大门, 完成了物理学的一场革命. 广义相对论的成功推动了黎曼几何学的应用, 显示了数学美的威力.

数学美的威力的另一个著名例子是狄拉克的反物质假说. 英国著名物理学家狄拉克认为他的许多发现都得益于对数学美的追求. 1928 年, 他在研究量子力学的过程中导出了一个描述电子运动的方程——狄拉克方程. 在解这个方程的时候, 由于开平方而得到了正负两个完全相反的解, 也就是说, 它不但描述了人们已知的带负电荷的电子的运动, 还描述了另一种除电荷是正的以外、其他结构和性质与电子一模一样的人们尚未知道的反粒子. 狄拉克从尊重数学的对称美出发, 作出了“存在与电子质量相等而电荷相反的‘负能粒子’——正电子”的预言. 1932 年 8 月, 实验物理学家安德逊在宇宙射线中发现了这种粒子, 从而证实了狄拉克的预言. 这样, 量子论和相对论就在狄拉克方程中完满地统一起来.

利用数学的和谐美发现“谷神星”也体现了数学美的威力, 长期以来被人们传为佳话. 1772 年,柏林天文台台长、德国天文学家波德总结前人经验时，整理并发表了一个“波德定律”，为人们提供了计算太阳与诸行星之间的距离的经验法则. 设地球与太阳之间的距离是 10 (天文单位)，则太阳到各行星之间的距离如表 11 所示.

表 11

星名	水星	金星	地球	火星	木星	土星
与太阳的距离	4	7	10	16	52	100
距离减 4 后	0	3	6	12	48	96

表 11 中的最下一行数, 若在 12 与 48 之间添加 24, 不计首项便是一个公比为 2 的等比数列. 1781 年, 天王星被发现. 天王星与太阳的距离为 192 (按上述规律应该是 $96 \times 2 + 4 = 196$, 这个结果与 192 甚为接近). 从数列的和谐性上看, 人们便怀疑在距离为 28 的位置还应有一颗小的行星. 天文学家忙碌了 20 年, 1801 年元旦, 一位意大利天文学家在西西里岛观察到在白羊座附近有光度八等的星移动, 这颗星在天空出现了 41 天、扫过八度角后就没了踪影. 当时天文学家无法确定它是彗星还是行星, 因此成为学术界关注的焦点. 高斯根据天文学家提供的少量观测数据很快就算出了它的轨道, 几个月后, 这颗现被称作谷神星 (Ceres) 的小行星准时出现在高斯指出的位置上.

四、数学美的启示

前面我们通过大量实例展示了数学中的美, 分析了数学美的特征并探讨数学美的作用, 通过数学发展史和人类社会发展史上的一些重大事件说明: 对数学美的追求推动了数学的发展, 促进了数学的应用. 这些对我们每个人, 特别是教师和学生都将有很大的启示.

(一) 重视数学美的教学

数学美在教学中有着重要的作用. 这主要表现在:

首先, 数学美的教学有利于培养学生对数学的情感态度与价值观. 现代教育观非常重视情感态度与价值观的培养, 认为情感态度与价值观和知识与能力、过程与方法具有同等重要的地位. 在总参军训部制订的《军队院校本科高等数学课程教学基本要求》中就指出: “通过引导学生认识数学理论的简单、对称、完备、统一、和谐和奇异等内在美,培养学生的科学鉴赏力、洞察力和审美观, 使学生以追求科学美的思想充实、塑造自己, 升华学生的高尚情操, 唤起学生的求知欲. ” 在培养对数学的情感态度与价值观方面, 目前数学的教与学中都存在严重的弊端. 长期以来, 教师在讲授数学时, 只注重知识的传授, 忽略了挖掘和展示数学的魅力; 而学生特别是工科专业的学生, 由于专业背景的影响, 也往往只从功利的角度审视所学的数学. 这种教育的结果, 往往使学生觉得数学是纸上谈兵、枯燥无味, 以至于敬而远之、退避三舍. 这种教学无疑是很大的失败. 事实上, 一门学科的价值, 一方面在于它的实用性, 另一方面还在于它给人们带来的美感和魅力. 大量事实证明, 正是后者成为了人们终生崇尚科学、追求真理的不竭动力. 数学是美的, 蕴含着无穷的魅力, 通过数学美的教学, 可以加深学生对数学的美感的体会, 对数学的向往和热爱, 使数学对学生具有一种亲和力, 从而唤起学生的求知欲. 如果达到了这样的目的, 将会对学生的终身产生深远的影响, 将是数学教学的巨大成功.

其次, 数学美的教学有利于培养学生的思维能力和创造力. 人们一般认为, 数学是搞推理, 侧重逻辑思维. 其实, 数学中大量存在的美的因素, 如优美的几何图形及用几何图形表示的某种运算关系的形象表示, 充分显示了数学中也大量存在形象思维, 例如想象、直觉、顿悟, 因而, 数学美的教学可以增强形象思维, 使逻辑思维与形象思维更好地结合, 提高学生的思维能力. 前面已经指出, 追求数学美是数学发展的内在动力之一. 数学美的教学可以培养学生的想象能力, 破除定势思维, 开拓发散思维, 增强创新能力.

再次, 数学美的教学有利于增强学生的审美能力. 培养学生的审美能力是学校教育的重要任务之一. 审美能力的培养, 不能单纯依靠文学、艺术课程, 更重要的是要通过所有社会科学和自然科学的教学来实现. 数学美是科学美的一种, 而且又具有其他科学所没有的许多特征, 因而数学在培养学生的审美能力方面担负着更多的作用.

(二) 教师在数学教学中要渗透数学美

首先是展现数学的美, 揭示数学的美. 在数学主干课中有许多例子都能体现数学的美, 可以随时随地地展现给学生. 比如, 在高等数学中会遇到摆线等常用曲线, 这些曲线不仅形式美, 而且大都有一定的产生背景、一段历史传奇、诸多良好的性质、种种神奇的应用, 适时将这些介绍给学生, 会使学生深深体会到数学的魅力. 再比如, 在数学定理的条件、结论和证明过程中随时揭示数学的对称、简洁、和谐, 会使学生受到美的熏陶.

其次是挖掘数学的美, 提高学生的审美力. 数学的美是一种深层次的美, 只有具备了一定的审美力, 才能有更为切实的美的感受. 数学审美能力的提高不是一朝一夕的事情. 教师在日常教学中, 要尽力挖掘数学中蕴含的美, 引导学生体味其中的美, 通过日积月累, 学生就会切身感受到数学的美. 比如, 在讲定积分的应用时, 可以列举这样的问题: 由双曲线 $y = 1/x$ 在 $x \geqslant 1$ 的部分绕 x 轴旋转所得到的旋转曲面称为 Gabriel 喇叭, 利用积分法能证明这个喇叭所围成的体积是有限的, 而它的表面积却是无限的. 直观地说, 我们可以用有限的涂料把喇叭填满, 却不能用足够的涂料把它的表面涂满. 这个结论完全违背直观, 却可令人信服地证明. 这样的例子无疑可以使学生体会到数学的奇异美.

(三) 学生在数学学习中要追求数学美

首先, 要认识数学的美. 数学是一门重要课程, 数学教育也受到世界各国的高度重视. 从基础教育起一直到大学, 每个学生都要学习数学. 但是学生学习数学的效果却各不相同, 有的学得很好, 有的就差一些. 其中的原因是多方面的, 比如学习基础的好坏、学习的方法是否得当、教师素质的高低, 等等. 在诸多因素中, 对数学的学习态度和学习动机应当是影响学习效果的一个重要因素. 如果觉得数学毫无用途, 特别是觉得数学枯燥乏味, 那么即使再好的学习条件也难以取得好的成效; 反之, 若是觉得数学趣味横生、美妙无穷, 即使有再大的困难, 也会克服. 作为学生, 一定要认识到: 数学是美的, 有无尽的魅力. 这种信念和态度是学习成功的重要因素.

其次, 要追求数学的美. 可能有的人还没有体会到数学的美, 这是正常的. 因为数学的美是一种深层次的理性的美, 认识它, 特别是对它有深刻的体会是要有一个过程的. 提高数学的审美能力需要多方面的努力, 需要教师的引导, 更需要学生自己的努力. 学生自己要在学习数学的过程中, 不断体味数学的美, 追求数学的美, 久而久之, 就会体会到数学的魅力.

(四) 追随数学的美, 创造美的数学

认识数学美, 探索数学美, 研究数学美, 创造数学美 …… 将引领我们每个人不断走向完善, 创造成功的人生, 推动社会的进步.

首先, 认识数学美可以改变我们对数学的态度. 数学作为一门科学, 其重要性似乎早已成为人们的共识. 随着时代的进步, 人们对数学的作用也有着越来越深刻的认识: 数学不但是一门科学, 还是一门技术; 不但是一个基础, 还是一种工具; 不但是一种语言, 还是一种文化, 在人类文明的进程中起着重要的推动作用 …… 但是, 就整个社会而言, 目前人们对待数学的态度仍然不容乐观. 许多人对数

学的印象仍然是“面目可憎”“高不可攀”，还有不少人虽然口头上承认数学的作用，但实际上却是“敬而远之”．如此种种，使得数学这样一门重要的科学还没有充分发挥其应有的作用，这不能不说是一个严重的缺憾．造成这种现象的原因是多方面的．其中一个重要原因，就是人们没有认识到数学的美，体会到数学的魅力．而对美的向往与追求是人们的共性．如果人们能够从美的角度认识数学，体味到数学中蕴含的和谐与奇异，那么，许多人必定会改变对数学的偏见，燃起对数学的热情．

其次，揭示和探索数学美可以丰富我们的精神世界，使我们得到美的熏陶．凡是美的东西都能给人以精神的享受，数学美亦是如此．数学美是一种独特的美，它是一种理性的深层次的美．人们一旦对数学的美有所领略，将会得到发自内心的愉悦，这种精神上的快乐是其他形式的美感无法比拟的．这一点，许多数学爱好者都有深刻的体会．数学的发展史上也不乏这样的例子，很多数学家为了追求数学的真谛历尽艰辛，当他们有所突破时，往往把那优美的成果当作最好的回报．

再次，研究数学美可以启迪人的思维，增强创造力．在数学的研究中，人们往往自觉不自觉地都在使用美学规律．前面我们列举的数学发展史上的不少事例说明：数学的发展是人们对于数学美追求的结晶．不仅如此，有时数学美还是衡量、评价某些科学理论真伪的一个尺度．著名物理学家狄拉克就曾说：“如果一个物理方程在数学上看上去不美，那么这个方程的正确性是可疑的. ”他的这个预言曾多次得到验证. 可见, 对数学美的探讨, 可以开阔人们的视野, 指明研究方向和研究方法, 激发人的创造力.

让我们都来追随数学美, 在数学美的引领下, 创造美的数学、美的生活吧!

参考文献

[1] 吴振奎, 吴旻. 数学中的美 [M]. 上海: 上海教育出版社, 2002.
[2] 易南轩. 数学美拾趣 [M]. 北京: 科学出版社, 2008.
[3] 蒋声. 形形色色的曲线 [M]. 上海: 上海教育出版社, 1985.
[4] 曾晓新. 数学的魅力 [M]. 重庆: 科学技术文献出版社重庆分社, 1990.
[5] 邹庭荣. 数学文化欣赏 [M]. 武汉: 武汉大学出版社, 2007.
[6] 顾沛. 数学文化 [M]. 北京: 高等教育出版社, 2008.
[7] 张顺燕. 数学的美与理 [M]. 北京: 北京大学出版社, 2004.
[8] 李文林. 数学史概论 [M]. 北京: 高等教育出版社, 2002.
[9] 李心灿, 黄汉平. 数坛英豪 [M]. 北京: 科学普及出版社, 1989.
[10] 徐本顺, 殷启正. 数学中的美学方法 [M]. 大

连: 大连理工大学出版社, 2008.
[11] 莫里斯·马夏尔. 布尔巴基: 数学家的秘密社团 [M]. 胡作玄, 王献芬, 译. 长沙: 湖南科学技术出版社, 2012.

读者意见反馈

为收集对教材的意见建议，进一步完善教材编写并做好服务工作，读者可将对本教材的意见建议通过如下渠道反馈至我社。

咨询电话 400-810-0598

反馈邮箱 hepsci@pub.hep.cn

通信地址 北京市朝阳区惠新东街4号富盛大厦1座
高等教育出版社理科事业部

邮政编码 100029